# 编者的话

亲爱的小朋友：

上学了，你已经是小学生了。从现在开始，你要学习数学了。

你会数数吗？认识积木的形状吗？会看钟表吗？…… 这些都是我们要学习的数学。

数学是很有用的，学会它，你可以知道很多事情，能增长本领，还会解决很多问题。

打开这本书，你会看到许多有趣的游戏和活动，那可是一个神奇的数学天地噢！对了，给你介绍两位好

朋友，他们是数学王国里的小精灵，会一直陪伴着你学习。

只要你爱动脑筋，多和老师、同学一起讨论，就会发现数学是多么的生动有趣！当你感到自己的本领一天一天地增长，该是多么愉快呀！

祝你好好学习，天天向上！

编者

2012 年 5 月

# 目　　录

# 1 准备课

数一数

1

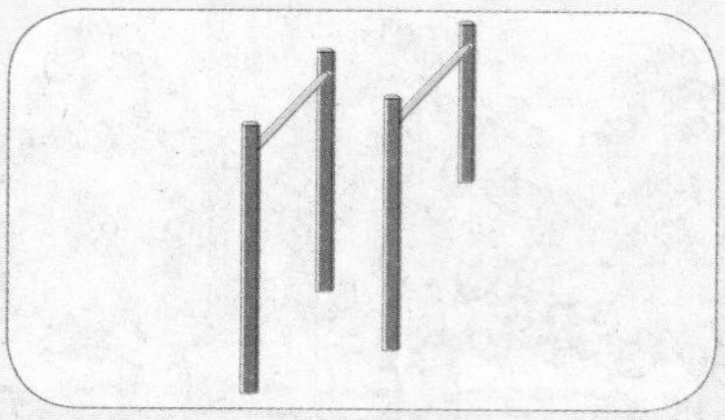

2

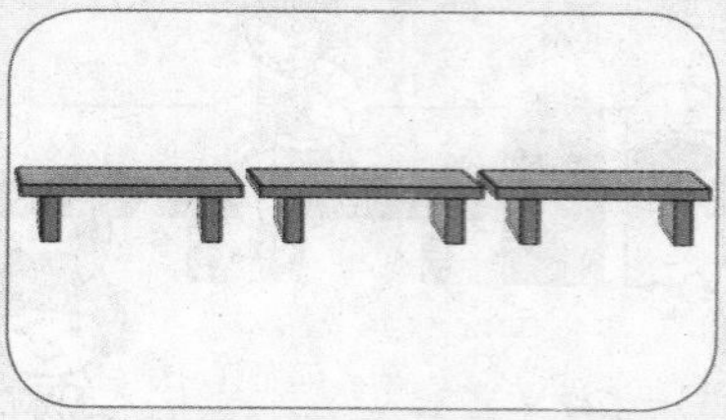

3

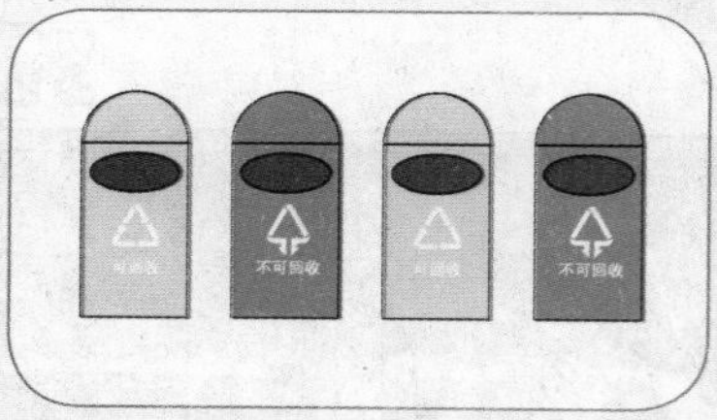

4

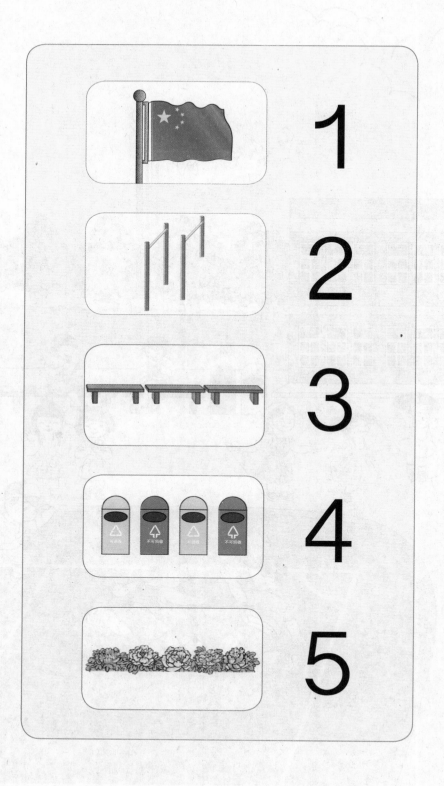

5

6

7

8

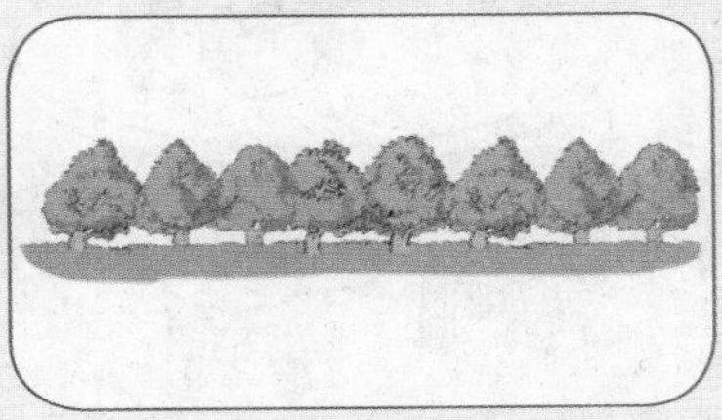

9

10

# 比多少

 和 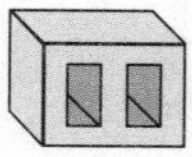 同样多。

图中还可以比什么？

## 做一做

1. 摆一摆。

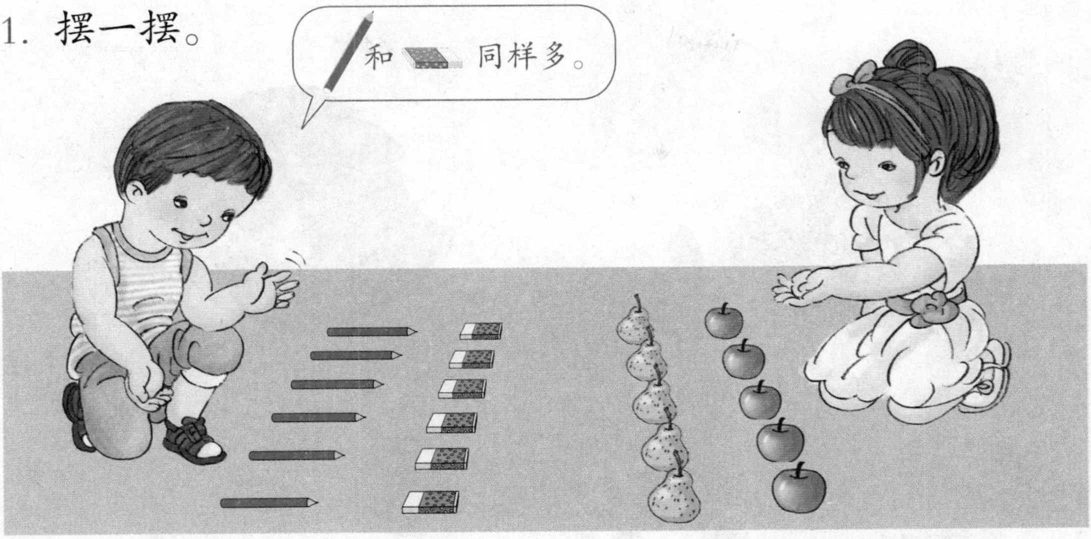


2. 摆一摆。

3. 在多的后面画"✓"。

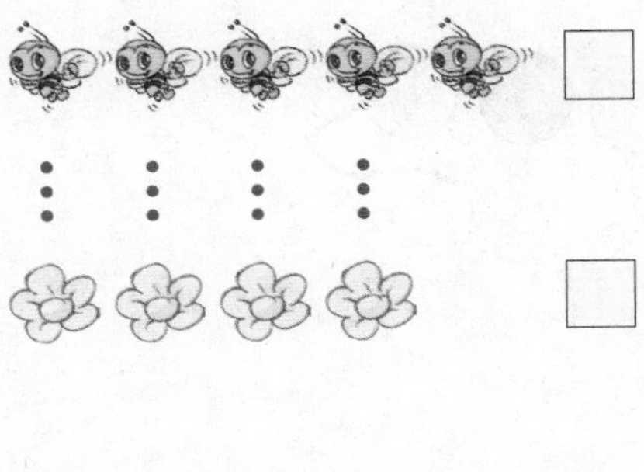

在少的后面画"✓"。

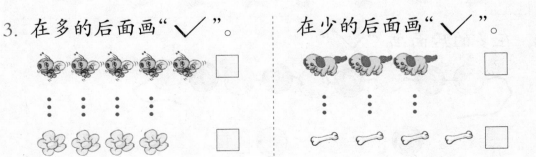

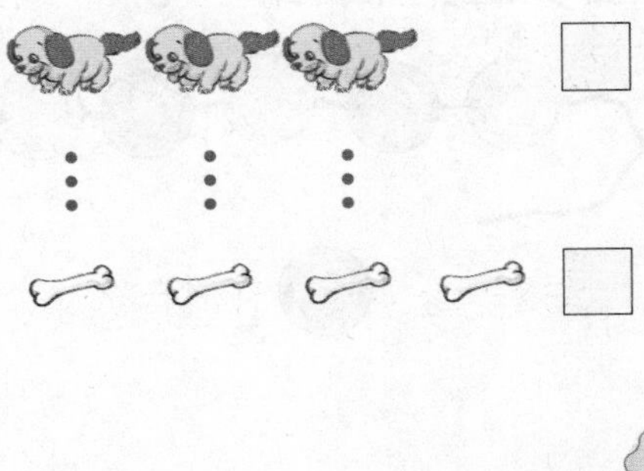

# 练习一

1. 数一数。

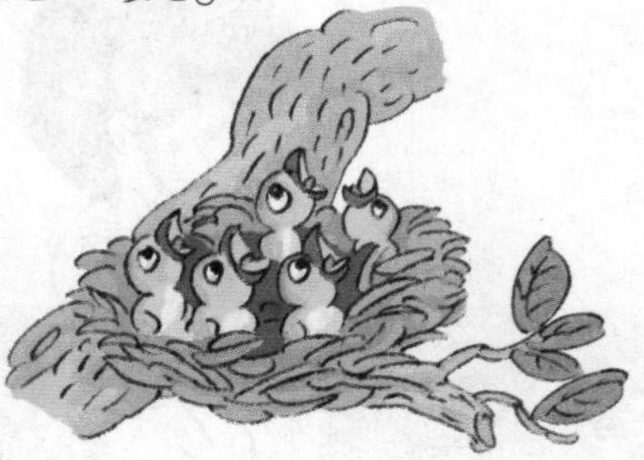

2. 连一连。

3. 在少的后面画“√”。

4. 在多的后面画“√”。

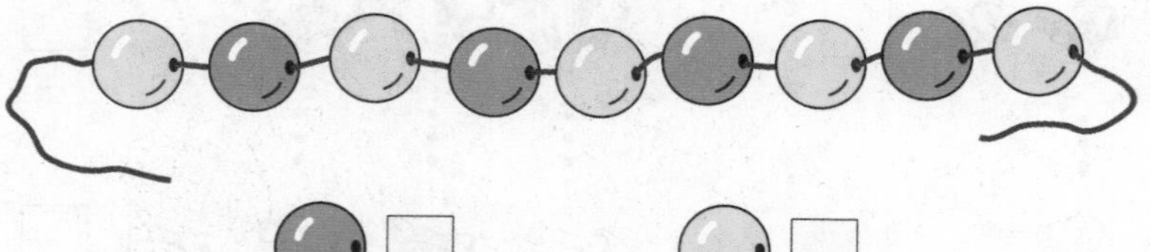

# 2 位置

## 上、下、前、后

在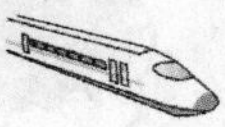的上面，

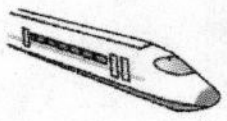在的下面，

的上面有什么？

在的前面，

在的后面，

的前面是______。

再看图说一说。

## 做一做

把

放在

的下面，把放在

的上面。

## 左、右

两只小手可以做什么？

## 做一做

1. 摸摸你的左耳，摸摸你的右耳。
拍拍你的左肩，拍拍你的右肩。
抬抬你的左腿，抬抬你的右腿。

2.

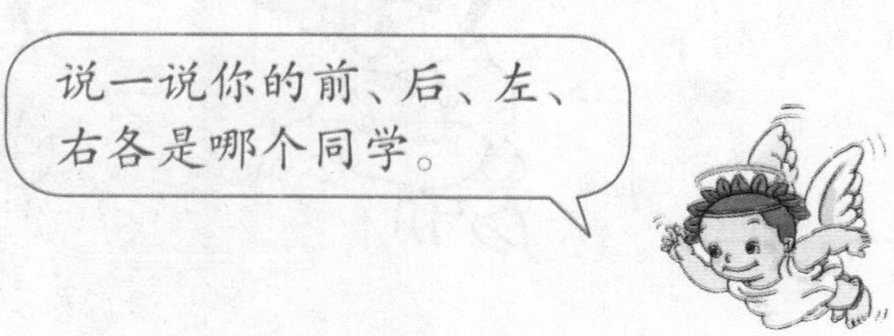

# 练习二

1. 说一说，小东的前面是______，小云在小华的______面。

看图再说一说。

2.

3. 把附页中的、贴在图中，再看图讲故事。

说一说，谁在谁的前面，谁在谁的后面，谁在谁的上面，谁在谁的下面。

4. 说一说下面的物品放在什么位置合适。

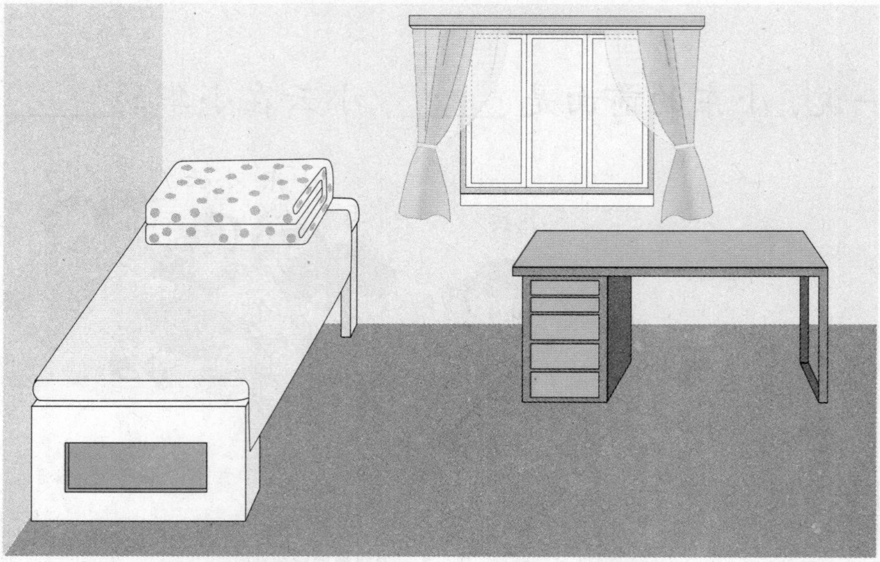

5.

在的左边贴，在的上面贴，

在的右边贴，在的下面贴。

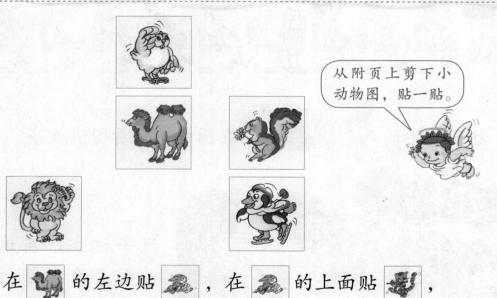

6. 用学过的上下、前后、左右说一说。

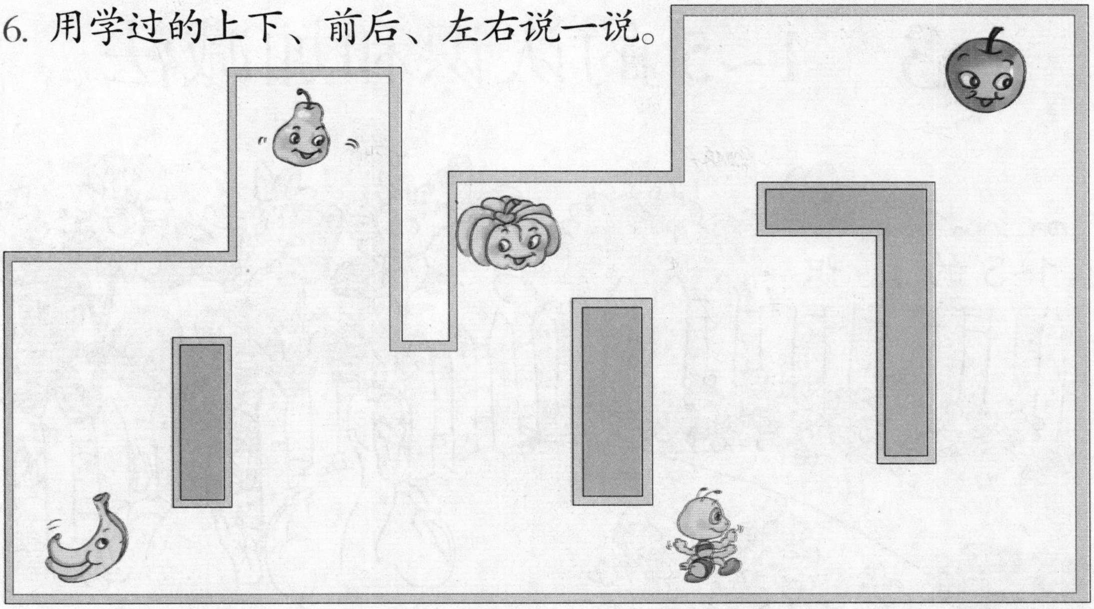

（1）怎么走才能到处？

（2）要吃到应该怎么走？

（3）你能提出一个问题，让同学来回答吗？

## 生活中的数学

本单元结束了，
你想说些什么？

贴兔子和乌龟的那道题真有趣。

成长小档案

★★

我知道了敬礼应该用右手。

# 3 1~5 的认识和加减法

1~5 的认识

图中有4只可爱的小鸡！
看看还有什么。

1

2

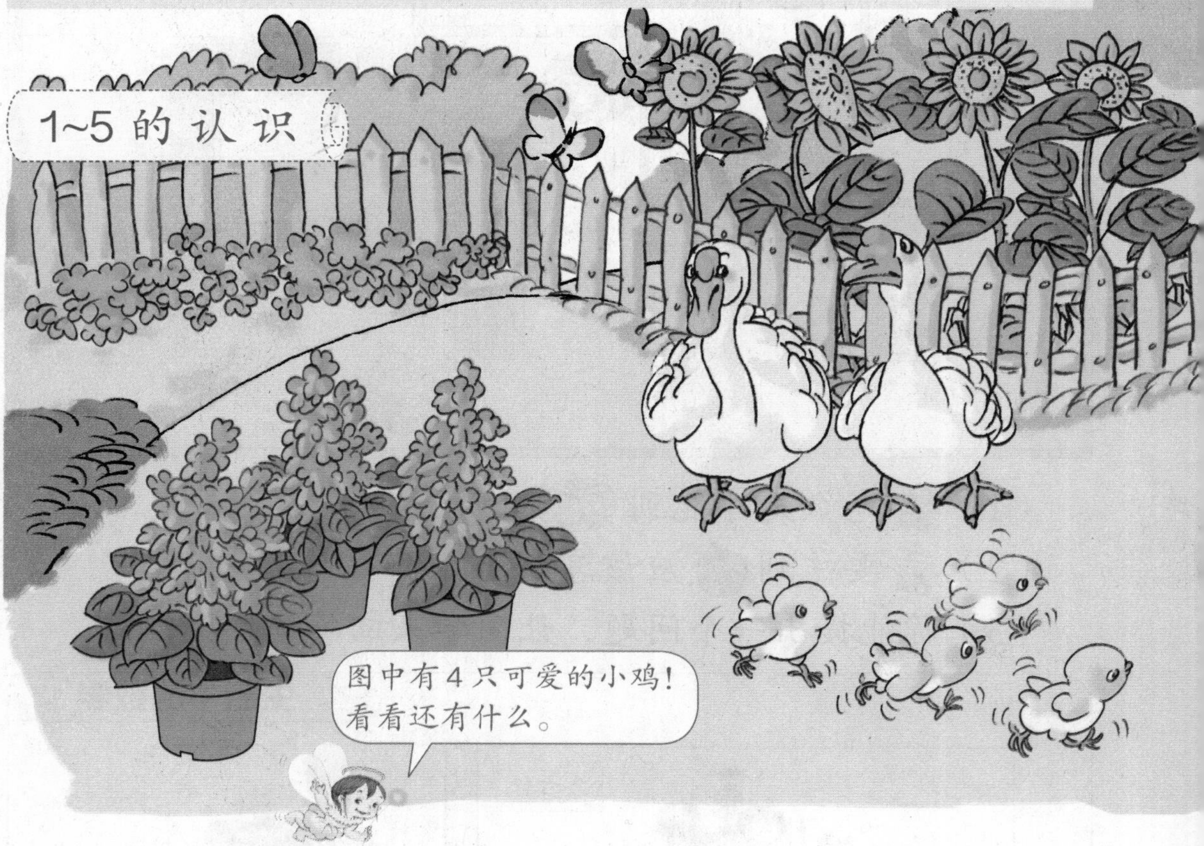

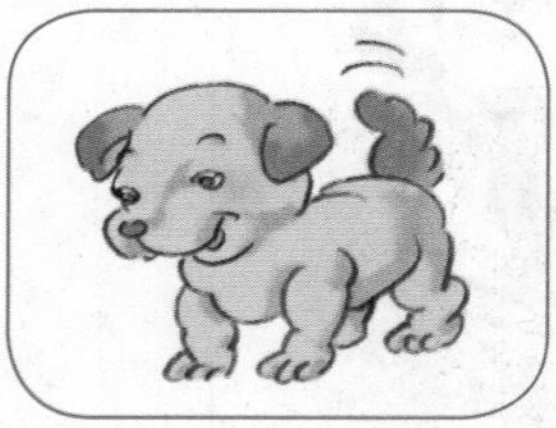

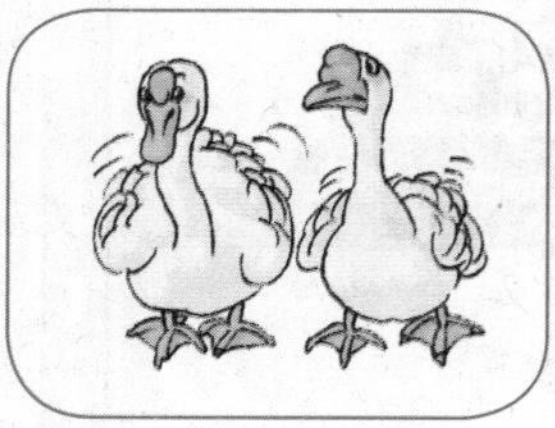

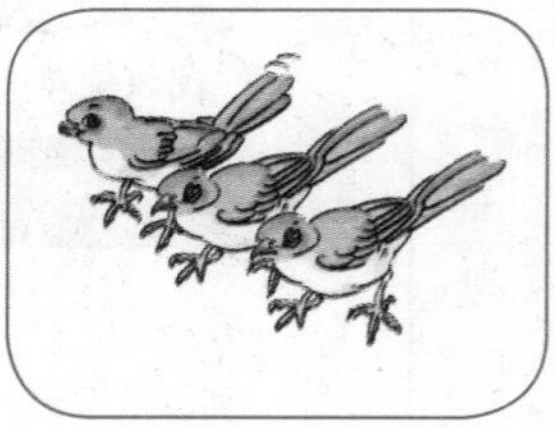

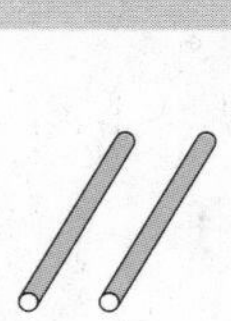

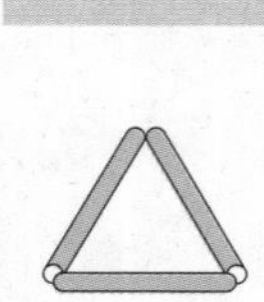

4

5

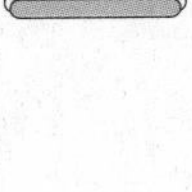

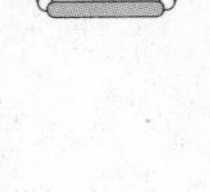

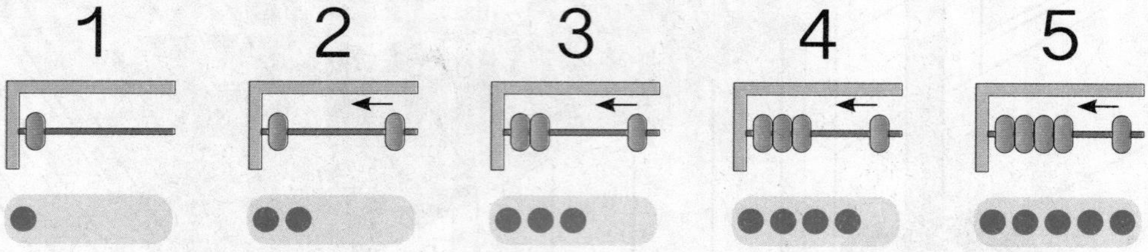


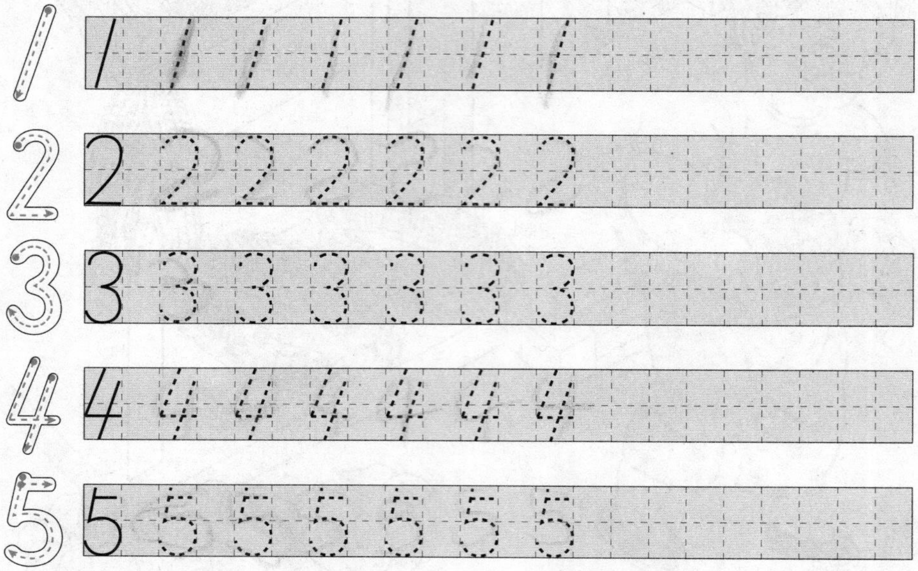

做一做

1. 连一连。

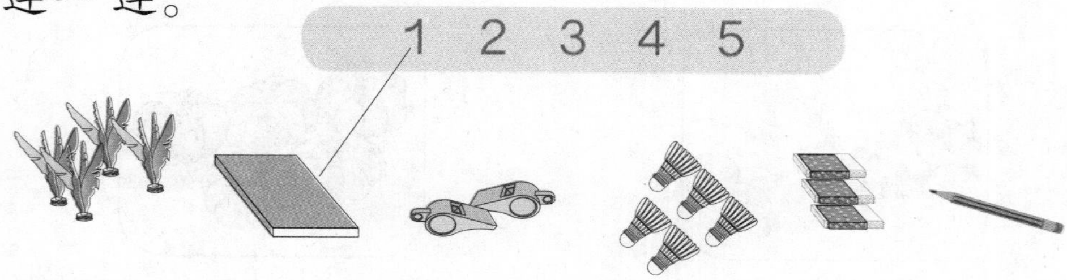


2. 写一写。

## 比大小

和 同样多　　比 多　　比 少

3 = 3　　3 > 2　　3 < 4

等号　　大于号　　小于号

3 等于 3　　3 大于 2　　3 小于 4

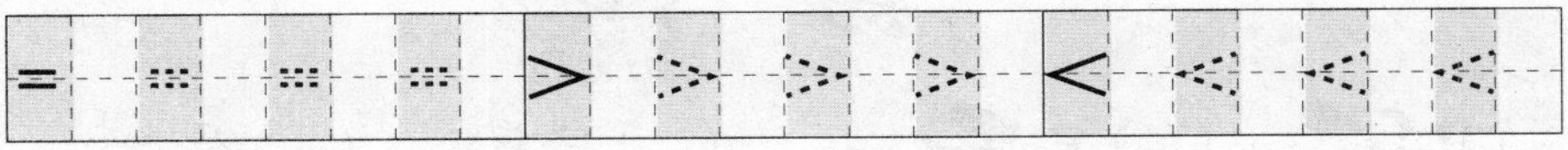

## 做一做

1.

2 (=) 2　　2 ◯ 3　　5 ◯ 4

2. 5 (>) 2　　3 ◯ 5　　4 ◯ 3　　5 ◯ 5　　4 ◯ 1

# 练 习 三

1. 看数涂色。

2　　　3　　　4　　　5

2. 按 1~5 的顺序连线。

3 .

2 .

1 .　5 .

. 4

3. 数一数，比一比。

( )只🐕　( )只🐱　　( )只🐝　( )朵🌸

□ ○ □　　　　　□ ○ □

4. 有几头🐘？

你还想数什么？

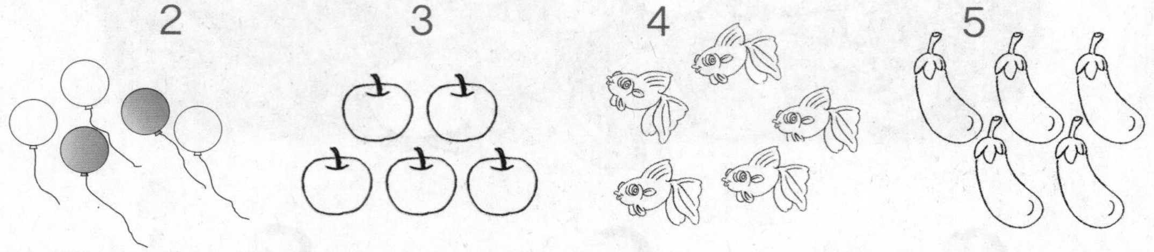

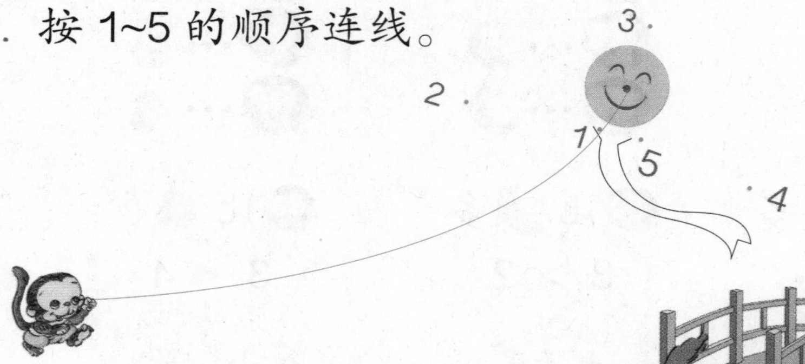

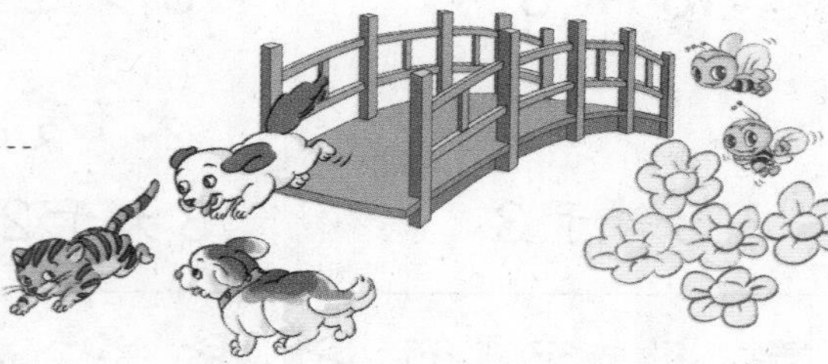

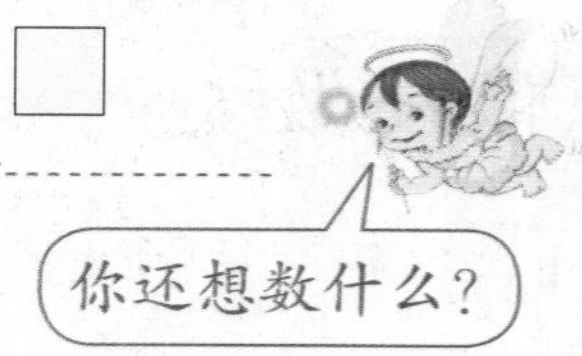

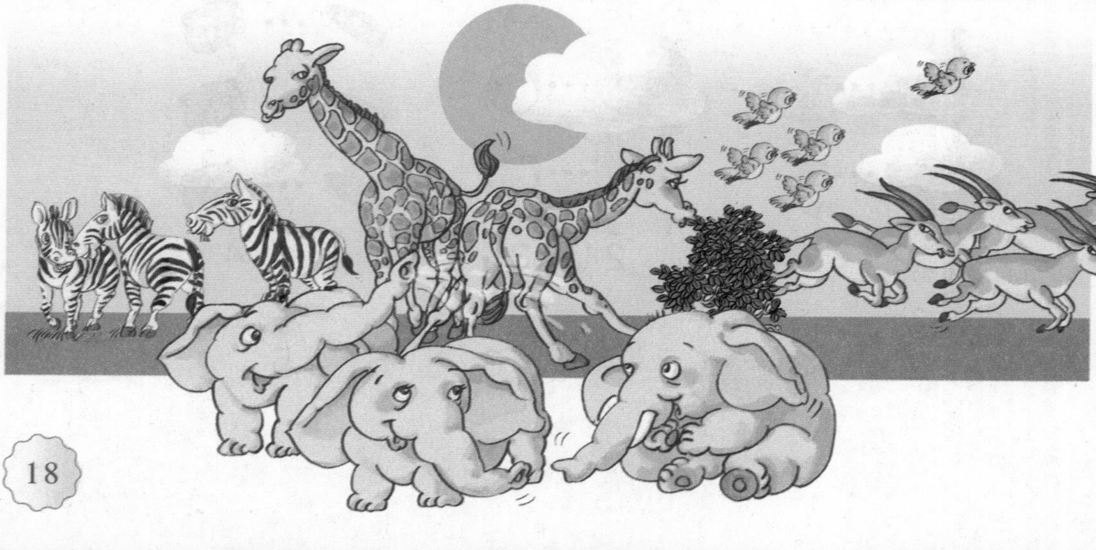

5. 用自己的方式表示出1、2、3、4、5。

6. 涂一涂，比一比。

♡ ♡ ♡ ♡

△和♡同样多　△ △ △ △ △　4 = 4

○比♡多　○ ○ ○ ○ ○　□○□

⬠比♡少　⬠ ⬠ ⬠ ⬠ ⬠　□○□

7. 填一填。

| 4　2 | 4　5 | 3　1 |
|---|---|---|
| 4 > 2 | □ < □ | □ < □ |
| □ < □ | □ > □ | □ > □ |

8. 下一个该涂什么颜色？先涂一涂，再数一数。

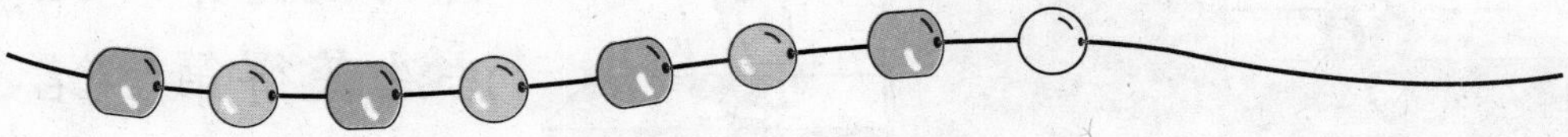

（　）个○　（　）个○

他说的一定对吗?

第□ 第2 第□ 第□ 第□

有5人排队。

排第2，他前面有□人，后面有□人。

从图中还可以提出什么问题？

做一做

1.

明明获得第□名，
浩浩获得第□名，
丁丁获得第□名。

2.

两个□里的数表示的意思一样吗？

一共有□人。从左数，排第□。

## 分与合

把 4 个  放到两个筐里，有几种情况？

| 4 | 4 | 4 |
| --- | --- | --- |
| 1　3 | 2　2 | 3　1 |

## 做一做

1.

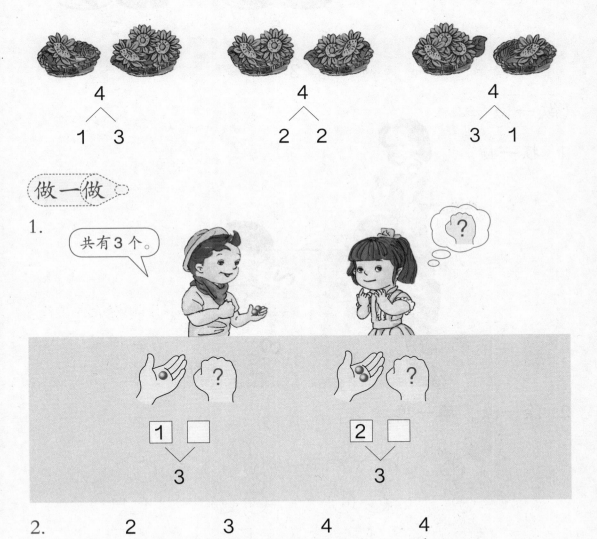

| 1 □ | 2 □ |
| --- | --- |
| 3 | 3 |

2.

| 2 | 3 | 4 | 4 |
| --- | --- | --- | --- |
| 1 □ | 2 □ | □ 3 | □ □ |

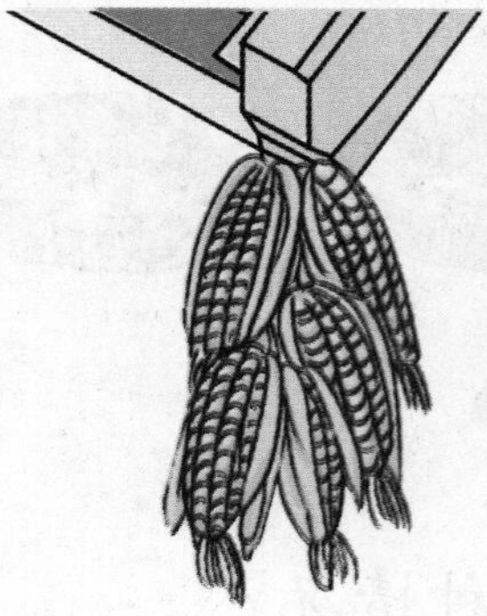

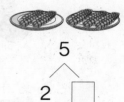

5个玉米放在两个盘子里，有几种放法？

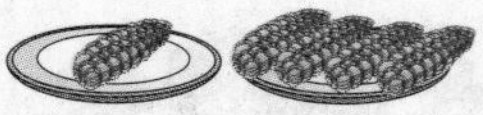

5
1　4

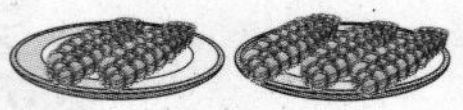

5
2　□

5
3　□

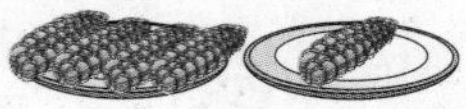

5
4　□

做一做

1. 摆一摆。

2. 涂一涂，填一填。

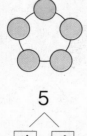

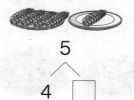

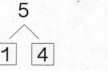

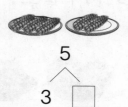

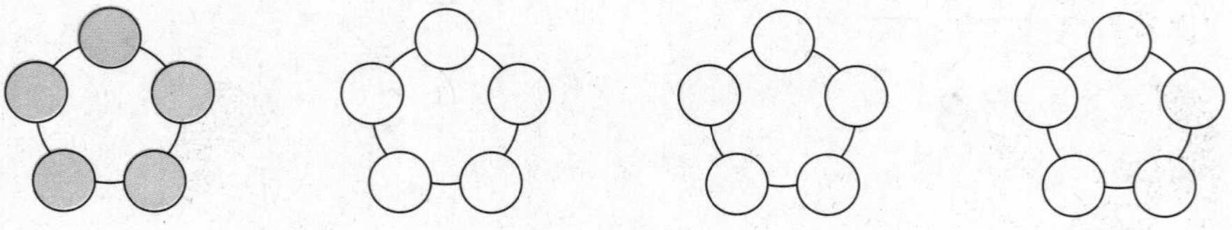

5
1　4

□
□　□

□
□　□

□
□　□

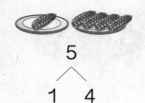

# 练习四

1. 

（1）把左边的 4 只小鸟圈起来。

（2）从左边数，给第 4 只小鸟涂上颜色。

（3）从右边数的第 1 只小鸟飞走了，还剩□只小鸟。

2. 

第 1 个　　第 2 个　　　　　　第 5 个

遮（zhē）住的是第□个和第□个，遮住了□个。

3. 5只要飞进2个，每个能飞进同样多的吗？圈出正确答案。

能　　不能

4. 这个游戏公平吗？

说一说怎样才能使这个游戏变得公平。

## 加法

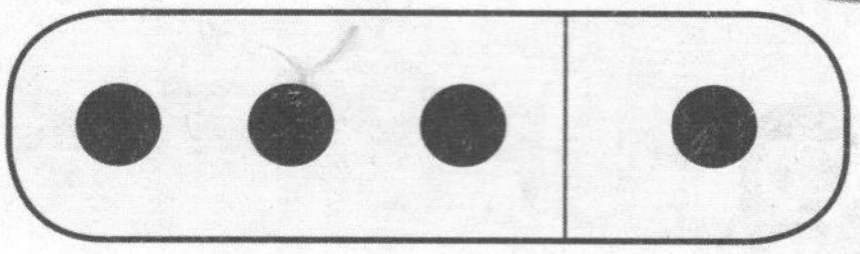

3＋1＝4　　读作：3 加 1 等于 4。

加号

## 做一做

看图说一说算式表示的意思。

2＋2＝4

4＋1＝5

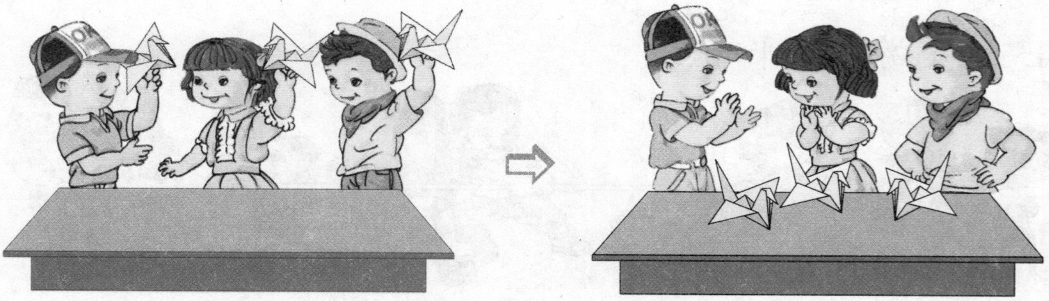

1＋2＝3

$3+2=\boxed{5}$

1、2、3、4、5。

从 3 后面接着数，4、5，一共 5 只。

1.

$4+1=\boxed{\phantom{5}}$          $1+4=\boxed{\phantom{5}}$

2. 摆一摆，填一填。

$1+3=\boxed{\phantom{0}}$                $3+\boxed{\phantom{0}}=\boxed{\phantom{0}}$

3. 先用 ╱ 摆一摆，再填得数。

$1+1=\boxed{\phantom{0}}$          $2+1=\boxed{\phantom{0}}$          $2+3=\boxed{\phantom{0}}$

## 减法

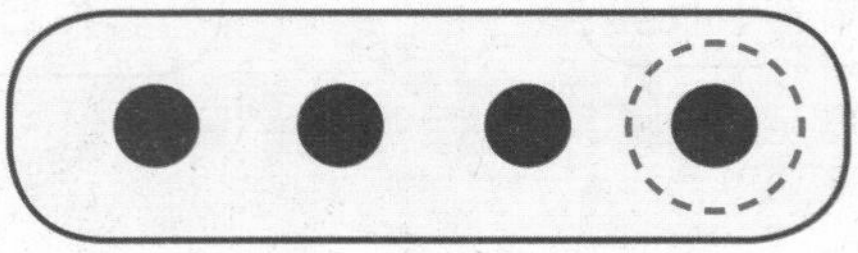

4－1=3　　读作：4 减 1 等于 3。

减号

## 做一做

看图说一说算式表示的意思。

5－1=4

4－2=2

3－2=1

$5 - 3 = \boxed{2}$

从 5 倒着数，
5、4、3，
还剩 2 只。

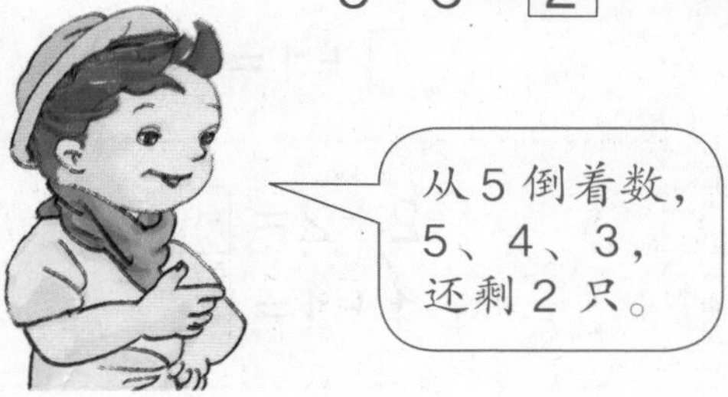

 做一做

1.

$5 - 1 = \square$          $5 - 4 = \square$

2. 划一划，填一填。

$4 - 1 = \square$          $4 - \square = \square$

3. 涂一涂，填一填。

$3 - 1 = \square$          $4 - 1 = \square$          $5 - 2 = \square$

                    ○○○○○

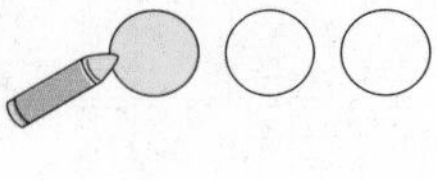

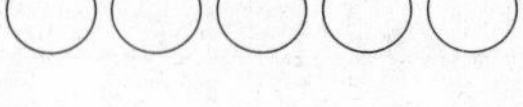

# 练 习 五

1.

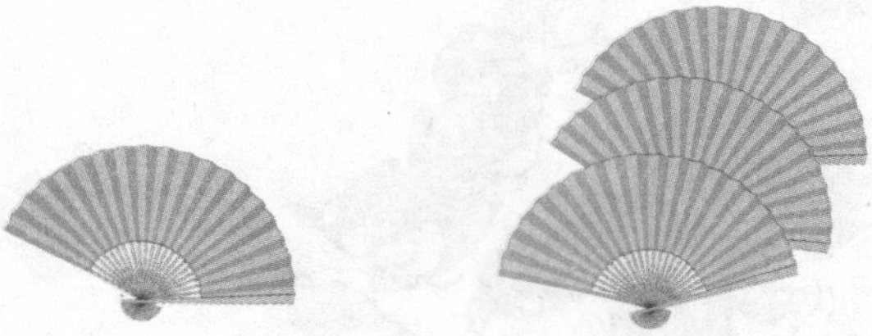

（　）把

1+ □ = □

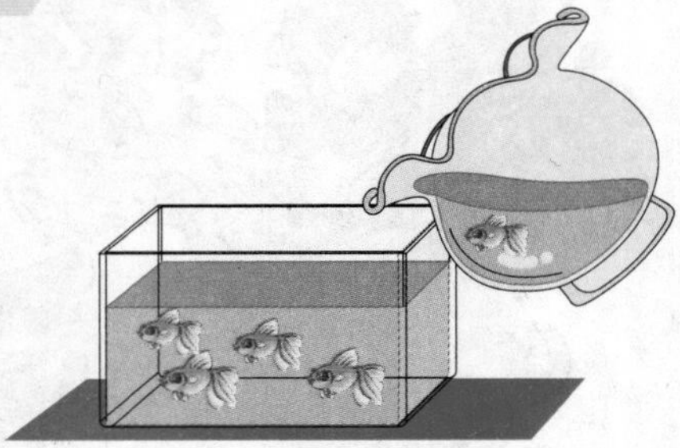

（　）条

□ +1= □

2. 2+3= □　2+1= □　2+2= □

3+2= □　1+2= □　1+1= □

3.

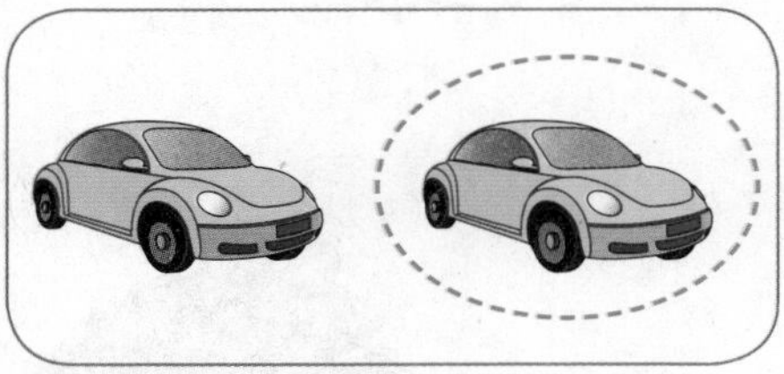

2－ □ = □

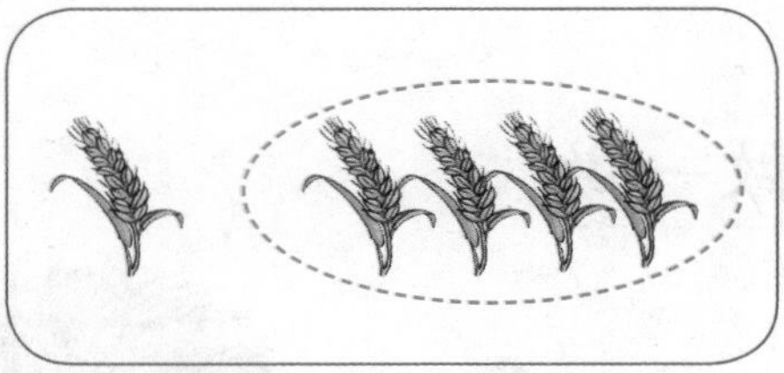

5－ □ = □

4. 5－2= □　4－3= □　3－1= □

5－3= □　4－1= □　3－2= □

5. 用自己的方式表示出下面算式的意思。

1+4= □　4－2= □

6.

$3+\square=\square$

$1+\square=\square$

$4-\square=\square$

$4-\square=\square$

7.

| | | | |
|---|---|---|---|
| 4 | | | |
| 3 | +1= | | |
| 2 | | | |
| 1 | | | |

| | | | | |
|---|---|---|---|---|
| | 4 | | | |
| 5 − | 3 | = | | |
| | 2 | | | |
| | 1 | | | |

8.

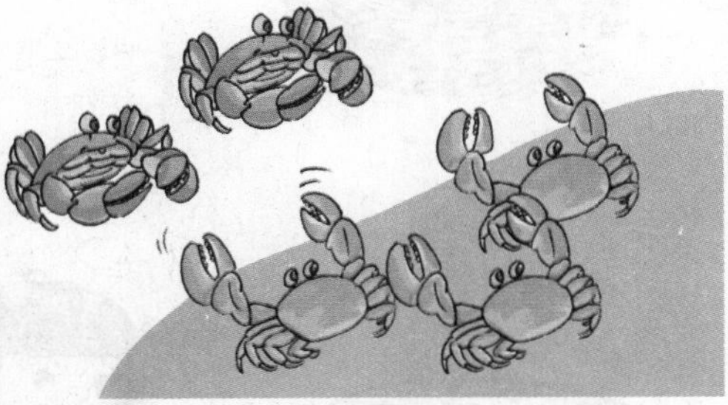

$\square+\square=\square$

$\square-\square=\square$

9. 送信。

## 0

2　　1　　0

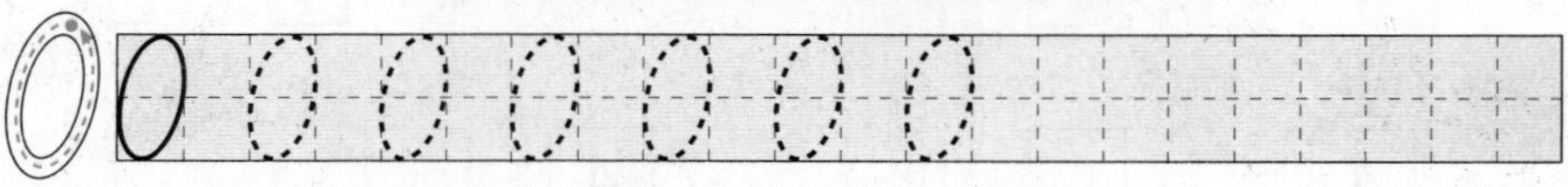

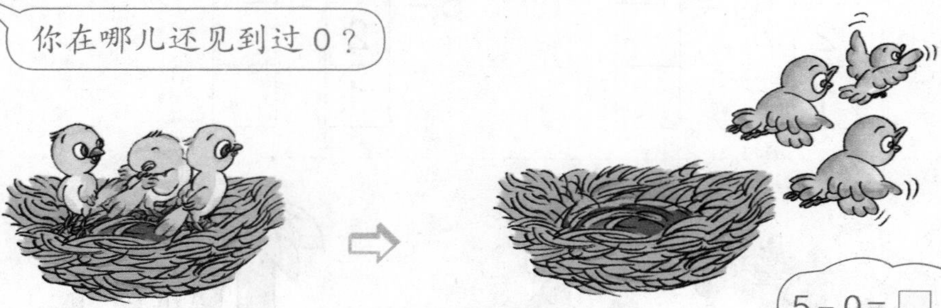

$3-3=0$

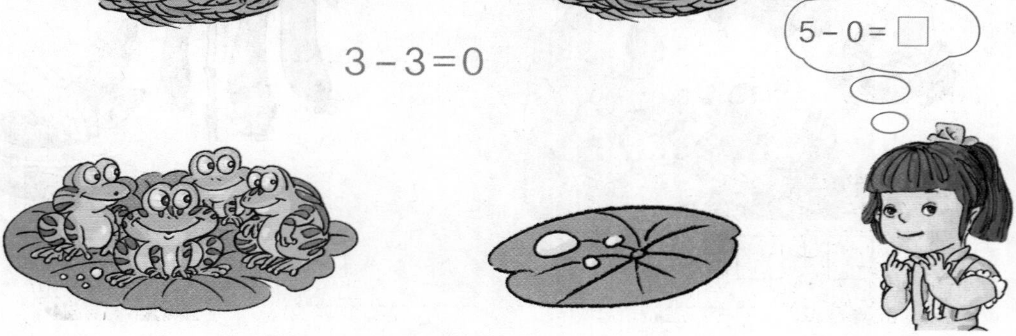


$4+0=4$

### 做一做

| | | | |
|---|---|---|---|
| $0+5=\square$ | $0+4=\square$ | $0+3=\square$ | $0+2=\square$ |
| $5+0=\square$ | $4+0=\square$ | $3+0=\square$ | $2+0=\square$ |
| $5-0=\square$ | $4-0=\square$ | $3-0=\square$ | $2-0=\square$ |

# 练 习 六

1. 

(　　)条　　(　　)条　　(　　)条

2. 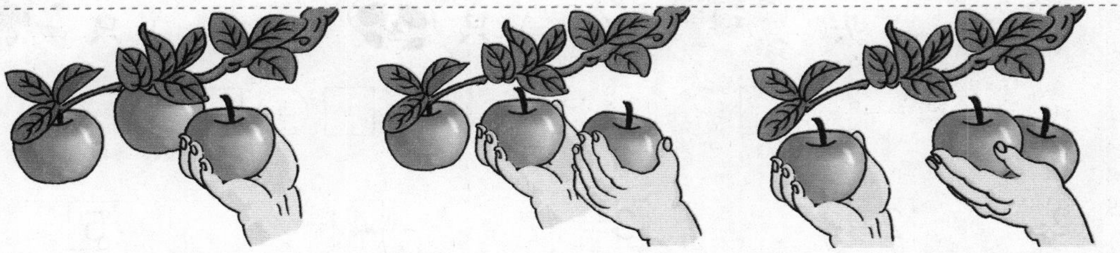

3－1=□　　3－□=□　　3－□=□

3. 

4－□=□
4－□=□
4－□=□
4－□=□

4. 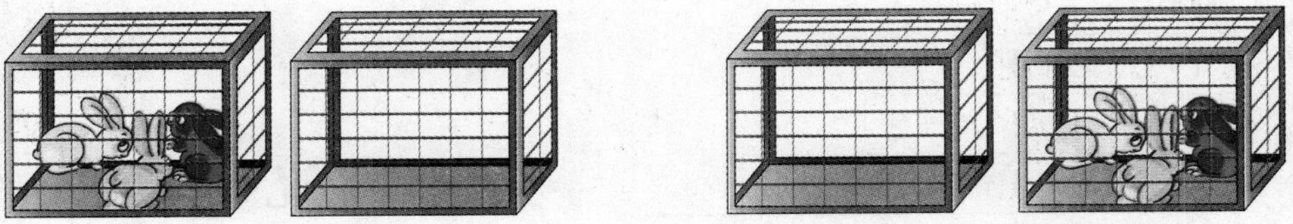

3＋□=□　　0＋□=□

5. 看谁算得都对。

1－0=□　　2＋3=□　　2－1=□　　0－0=□
3－2=□　　2－2=□　　0＋0=□　　5－3=□
2＋1=□　　1－1=□　　1＋4=□　　1＋0=□
0＋1=□　　1＋2=□　　5－5=□　　3－1=□

# 整理和复习

1. 数一数，比一比。

（　）头 　（　）只 　（　）只 

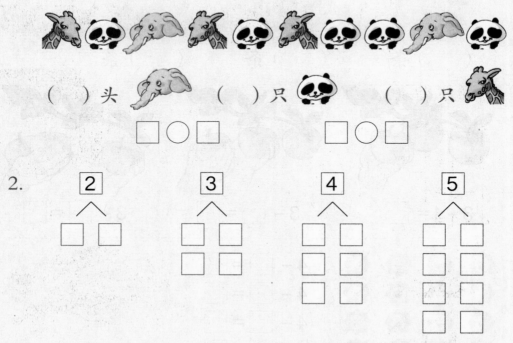

□○□　　□○□

2.

| 2 | 3 | 4 | 5 |
|---|---|---|---|
| □ □ | □ □ | □ □ | □ □ |
| | □ □ | □ □ | □ □ |
| | | □ □ | □ □ |
| | | | □ □ |

3. 在卡片上写出学过的加减法算式并进行整理。

| | | | | | |
|---|---|---|---|---|---|
| 0+0 | | | | | |
| 1+0 | 0+1 | | | | |
| 2+0 | 1+1 | 0+2 | | | |
| 3+0 | 2+1 | 1+2 | 0+3 | | |
| 4+0 | 3+1 | 2+2 | 1+3 | 0+4 | |
| 5+0 | 4+1 | 3+2 | 2+3 | 1+4 | 0+5 |

| | | | | | |
|---|---|---|---|---|---|
| 0－0 | | | | | |
| 1－0 | 1－1 | | | | |
| 2－0 | 2－1 | 2－2 | | | |
| 3－0 | 3－1 | 3－2 | 3－3 | | |
| 4－0 | 4－1 | 4－2 | 4－3 | 4－4 | |
| 5－0 | 5－1 | 5－2 | 5－3 | 5－4 | 5－5 |

（1）说一说左面的加法算式和减法算式各是怎样排列的。

（2）任意指一道算式很快说出得数。

（3）计算第一列算式，你发现了什么？

# 练 习 七

1. 按顺序填数。

2. 看谁算得都对。

| | |
|---|---|
| 1+3=□ | 5+0=□ |
| 3+1=□ | 0+5=□ |
| 4−3=□ | 5−0=□ |
| 4−1=□ | 5−5=□ |

3.

□○□=□

□○□=□

4.

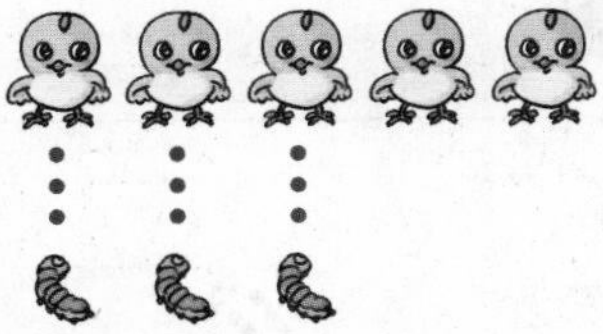

比多______。

比少______。

5. □里可以填几？

□>3　　□<5

4>□　　2<□

本单元结束了，
你想说些什么？

成长小档案

★★★

两个同样的数相减得0。

3−3=0
5−5=0
……

1可以表示1个太阳、1个人、1棵树……真有意思！

# 4 认识图形（一）

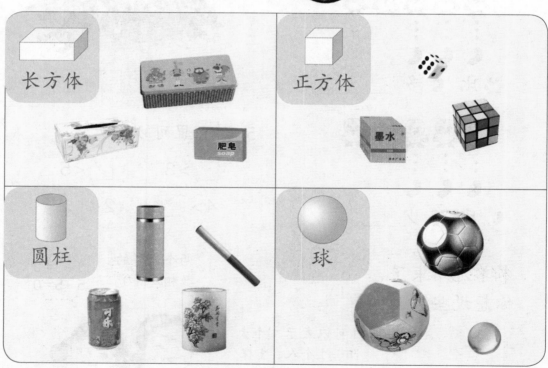

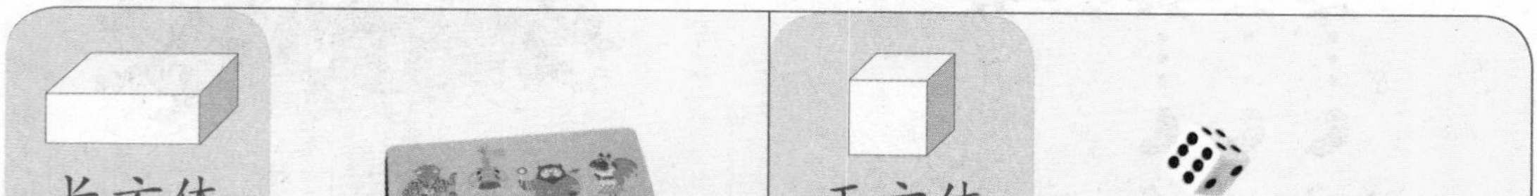


说一说，你身边哪些物体与上面这些形状相同。

## 做一做

1. **你能发现什么？**

2.

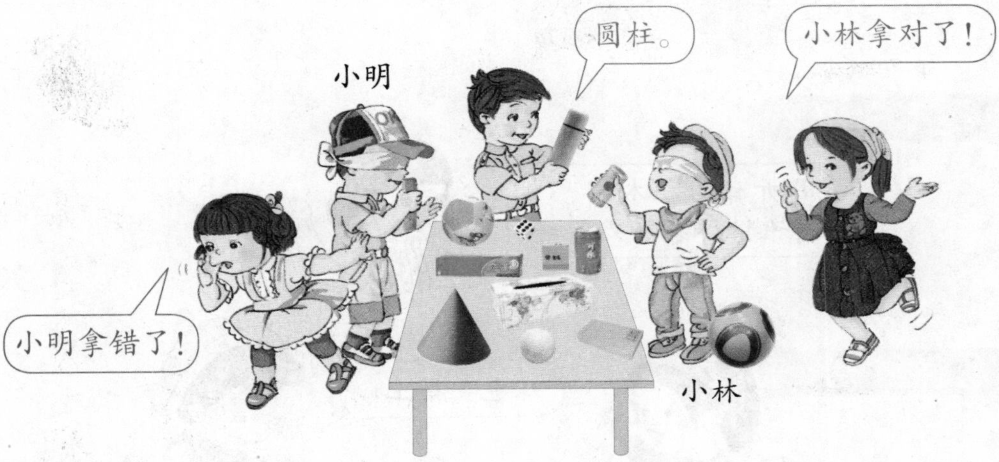

## 做一做

哪些形状是用4个 拼成的？在（ ）里画“✓”。

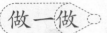

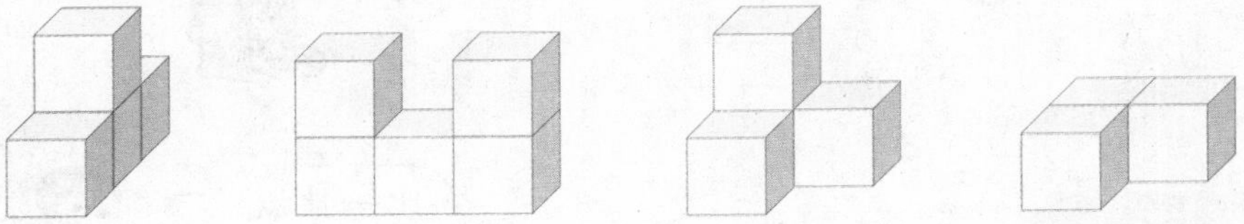

（ ） （ ） （ ） （ ）

看谁搭得又稳又高。

所有的积木都
要用上!

知道了什么?

用所有的积木搭,
看谁搭得又稳又高。

怎样搭呢?

球也要搭上。

尽量往高搭。

怎样搭才能
把球放稳呢?

把球放在 3 个长方体
上面,可以放稳。

谁搭得高?

比一比就
知道了。

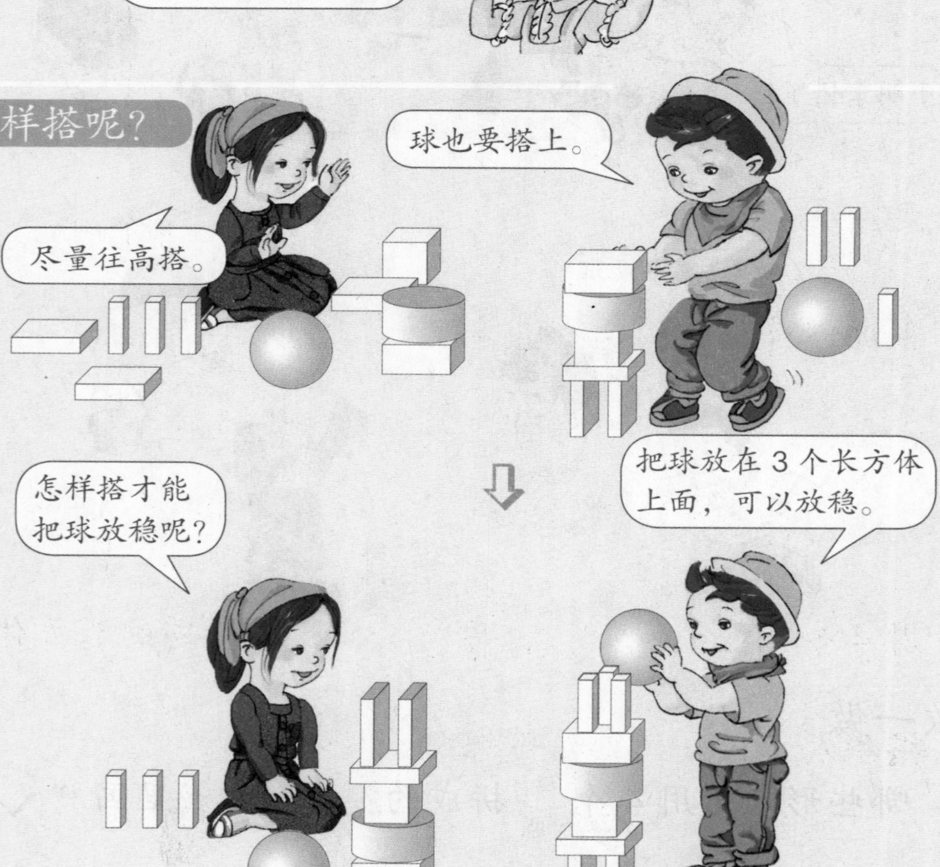

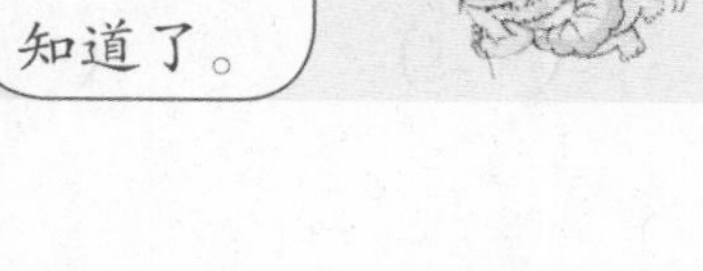

# 练习八

1. 连一连。

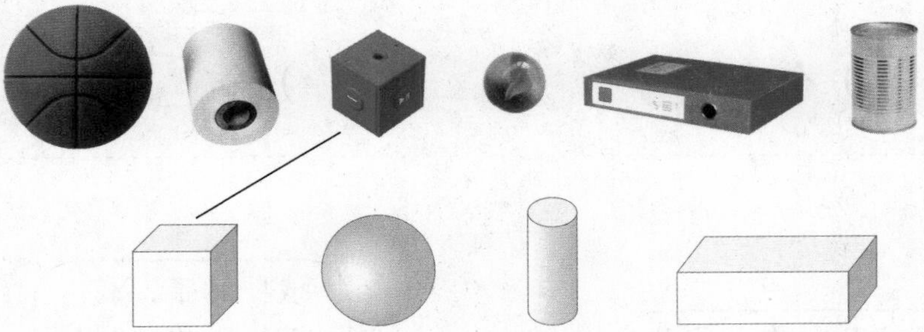

2.

（　　）个

（　　）个

（　　）个

（　　）个

3. 我说你猜。

4. 用 4 个相同的 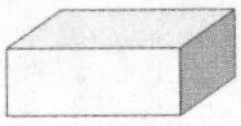，你能拼出几种不同的长方体？

5. 搭积木，说一说你搭得像什么。

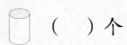

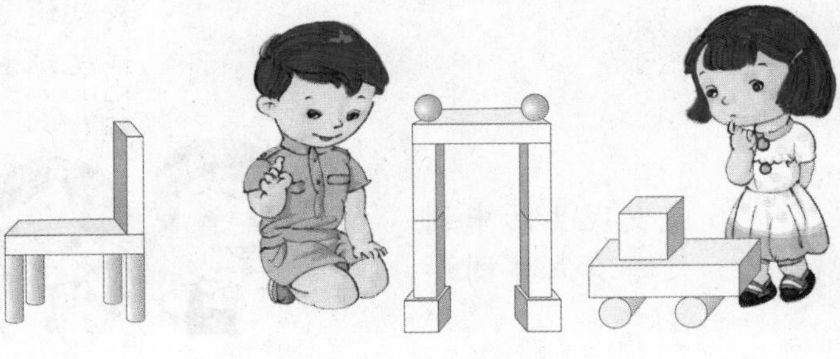

6. 数一数。

（　　　）个 　　　　　　（　　　）个 □

7. 我说你搭。

先放一个长方体，在长方体上面放一个正方体……

哦！对了，我搭得跟你一样！

8. 接着摆什么？圈出正确答案。

　　　＿＿＿（　　　）

　　　＿＿＿（　　　）

本单元结束了，你想说些什么？

成长小档案

★★★★

我知道了怎样把球放稳。

我发现生活中到处都有立体图形。

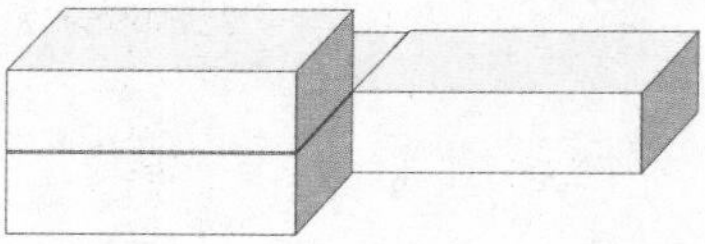

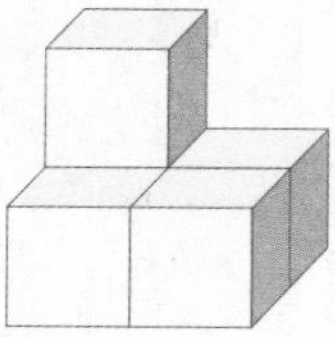

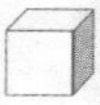

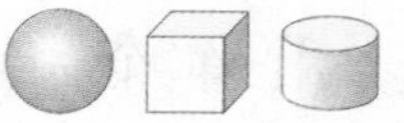

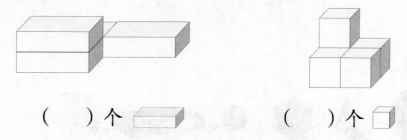

# 5 6～10 的认识和加减法

6 和 7

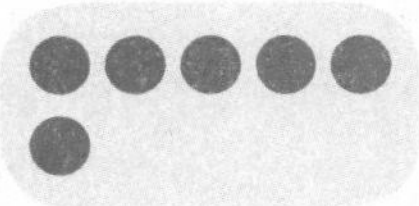

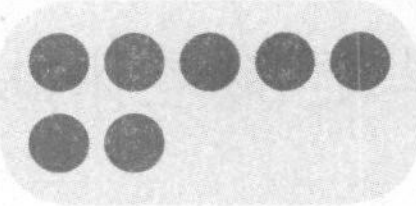

6

7

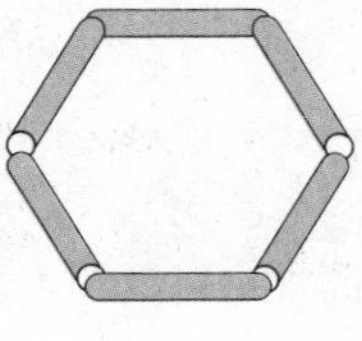

用 7 根  摆一摆。

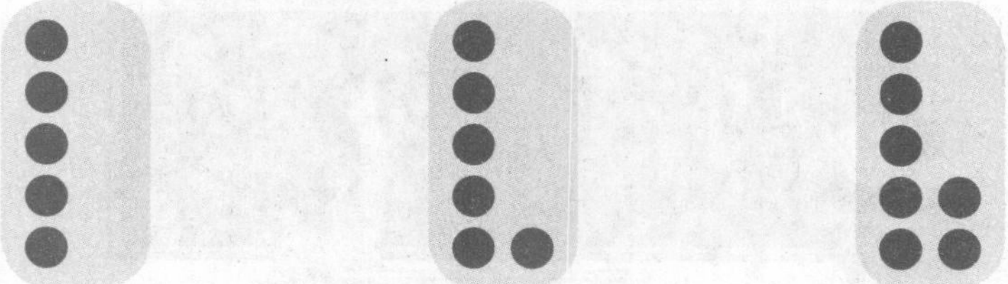

5 (<) 6　　6 ○ 7

6 ○ 5　　7 ○ 6

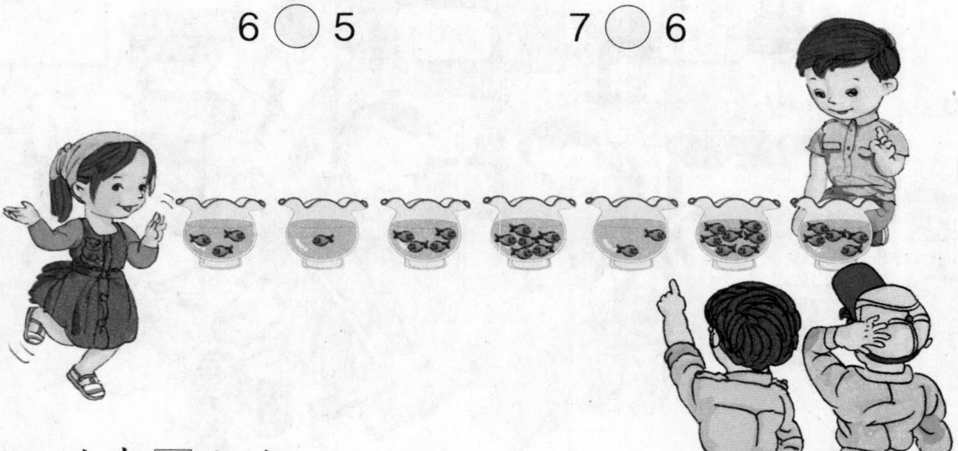

一共有□缸鱼。

从左边数第 7 缸有□条 ，

有 7 条  的是第□缸，

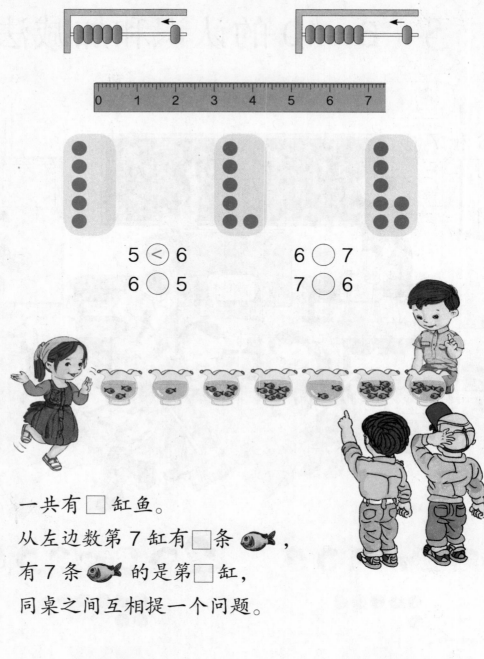

同桌之间互相提一个问题。

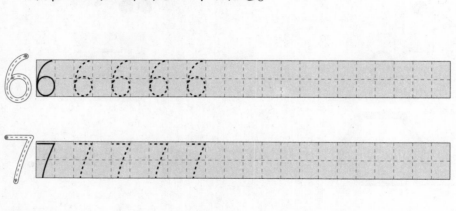

涂一涂，填一填。

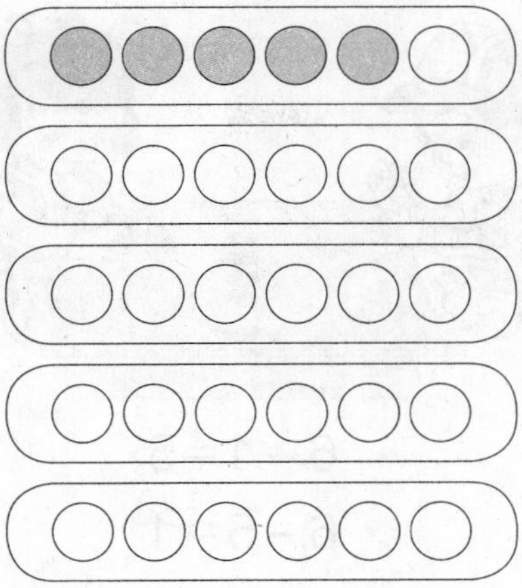

6
5   1

6
□   □

6
□   □

6
□   □

6
□   □

7个 ▱ 分成两堆，有几种分法？

7
6   1

7
5   2

7
4   3

看到每一组，你还能想到什么？

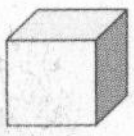

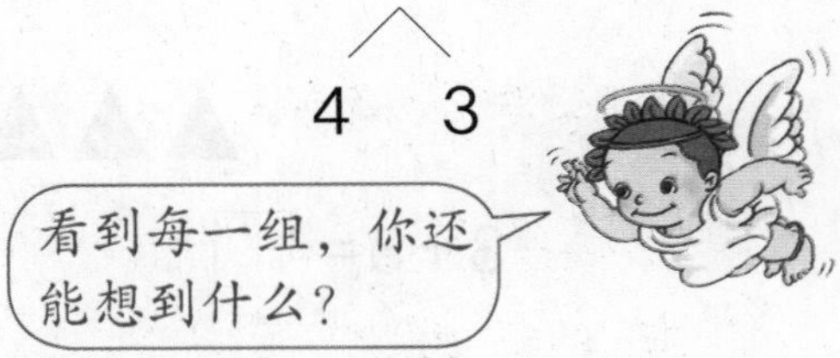

做一做

1.  6
    3   □

    □
    2   4

    7
    3   □

    □
    2   5

2. 再画几个 ○ 就是 7 个？请你接着画。

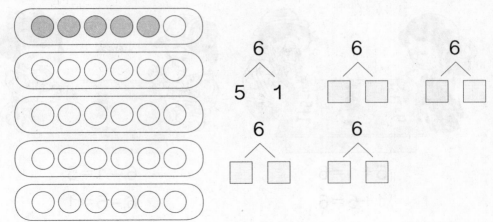

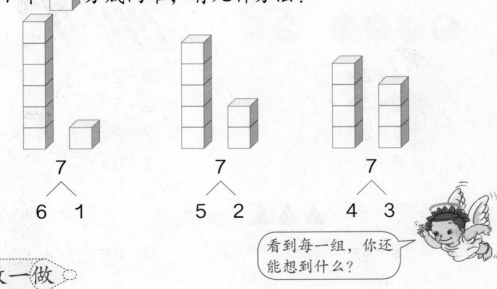

5 + 1 = 6　　　　6 − 1 = 5

1 + 5 = 6　　　　6 − 5 = 1

摆一摆，填一填。

4 + 2 = □
2 + 4 = □
6 − 2 = □
6 − 4 = □

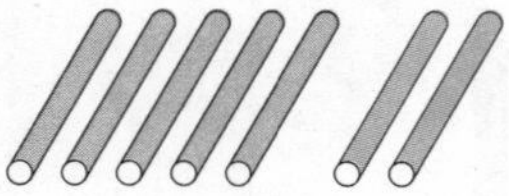

5 + 2 = □
2 + 5 = □
7 − 2 = □
7 − 5 = □

3 + 3 = □　　　　6 − 3 = □

## 做一做

3 + 4 = □
4 + 3 = □
7 − 3 = □
7 − 4 = □

# 练 习 九

1. 按顺序填数。

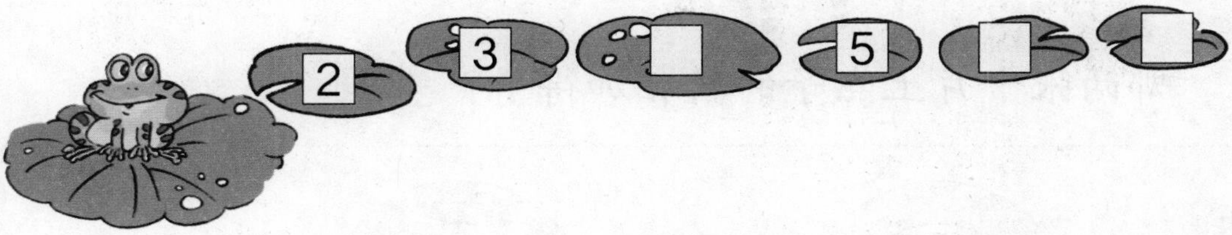


2. 数一数，比一比。

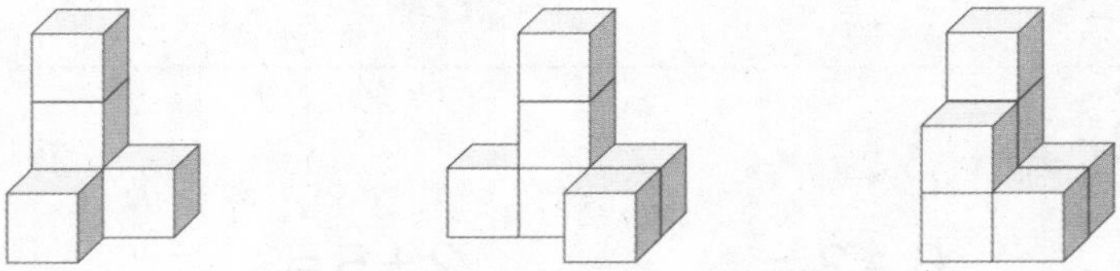

(　　)个　　(　　)个　　(　　)个

□○□　　□○□

3.

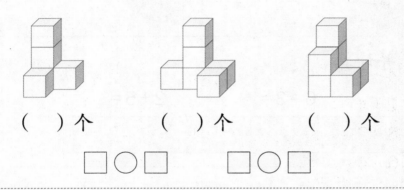

把右边的 6 只熊猫圈起来。

在左边数第 7 只熊猫的上面画 1 个○。

4.

6

| | | | | |
|---|---|---|---|---|
| 1 | | 2 | | 3 |
| 5 | 1 | | 2 | |

7

| | | | | | |
|---|---|---|---|---|---|
| 1 | | 2 | | 3 | |
| | 1 | | 2 | | 3 |

5. 哪两张卡片上点子的数相加得6？

哪两张卡片上点子的数相加得7？

6.

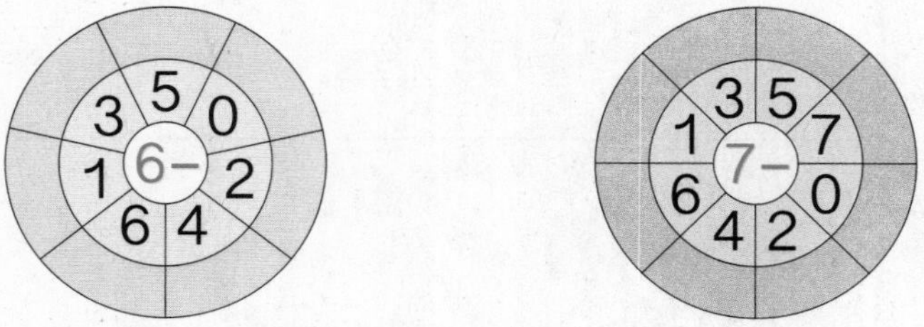


7. 抄写算式并计算。

0+4=　　　　6−3=　　　　2+5=

8.

| | | | |
|---|---|---|---|
| 6−5 | 0 | 7−6 | 2 |
| 2+4 | 1 | 7−1 | 7 |
| 5−3 | 2 | 4+3 | 1 |
| 7−7 | 6 | 6−4 | 6 |

9. 拿出两张数字卡片，用大的数减小的数。

10. 0+7=　　7−5=　　1+6=　　7−3=

4−2=　　2+4=　　7−4=　　6−4=

5−0=　　6−3=　　2+5=　　5−3=

11. [6] + [1] = [ ]

[5] + ⟨ [0] = [ ]，[2] = [ ]

[4] + ⟨ [3] = [ ]，[2] = [ ]，[1] = [ ]

[3] + ⟨ [2] = [ ]，[4] = [ ]，[1] = [ ]，[3] = [ ]

12. 说一说图的意思，再计算。

5+[ ]=[ ]

6−[ ]=[ ]

◎ 生活中的数学 ◎

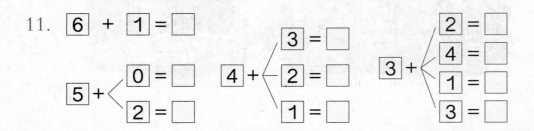

我7岁了。
我家有5口人。
我在一年级4班。
完整的雪花有6瓣（bàn）。

？只

图里有什么？

左边有□只，
右边有□只。

？只 表示
求一共有几只。

怎样解答？

求一共有几只，要把两部分合起来，怎样计算？

□○□＝□（只）

解答正确吗？

一共有□只。

做一做

？只

左边有□只，
右边有□只。
一共有几只？

□○□＝□（只）

? 只

7 只

图里有什么？

有一些青蛙。

"? 只" 表示
求还剩几只。

一共有 □ 只，
跳走 □ 只。

怎样解答？

求还剩几只，就是要
从 7 只里去掉跳走的
2 只，怎样计算？

$$□ ○ □ = □（只）$$

解答正确吗？

还剩 □ 只。

 做一做

? 只

6 只

一共有 □ 只，
右边有 □ 只。
左边有几只？

$$□ ○ □ = □（只）$$

# 练 习 十

1.

? 条

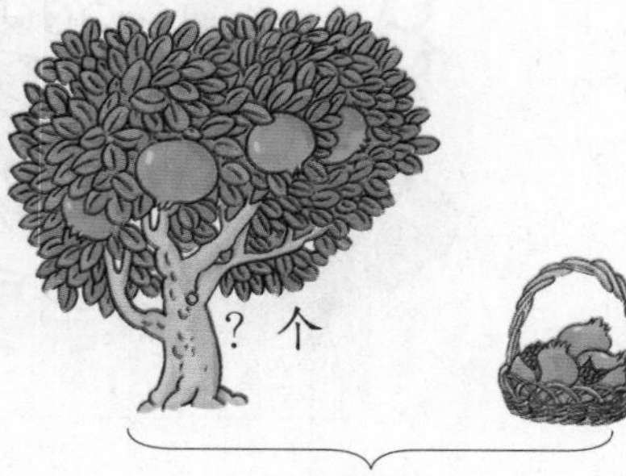


7 个

左边有□条鱼，
右边有□条鱼。
一共有几条鱼？

□○□=□（条）

一共有□个，
摘了□个。
树上还有几个？

□○□=□（个）

2. 7－4=□　5－1=□　2+5=□　6－2=□
2+3=□　6+0=□　4－2=□　4+3=□

3. 拿出点子卡片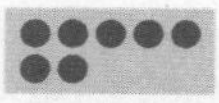，每次盖住一部分，说出一个减法算式。再换成，照样子说一说。

4. 说一说图中告诉我们什么，要解决的问题是什么，再解答。

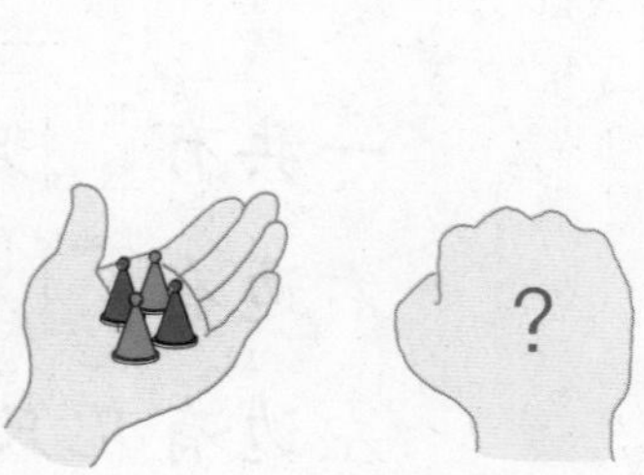


6 个

□○□=□（个）

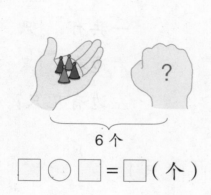

? 朵

□○□=□（朵）

5.

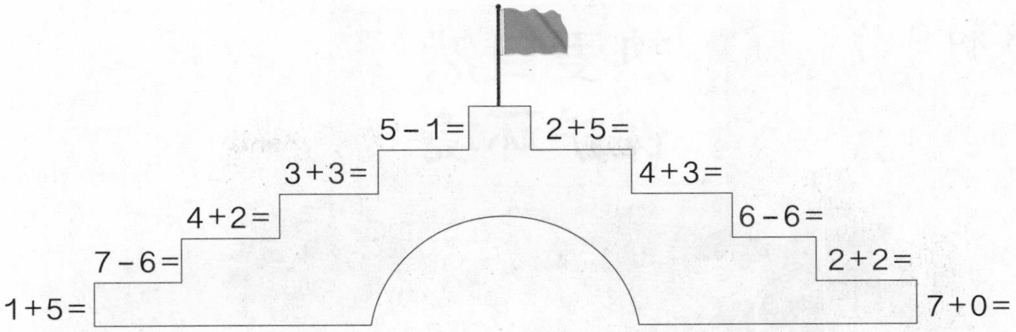


6. 说出要解决的问题，再解答。

# 8和9

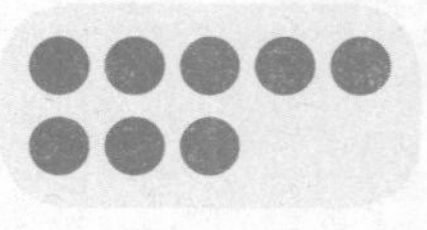

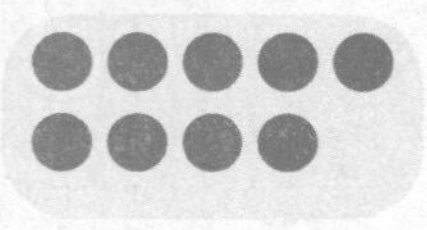

8

9

摆8个●。

摆9个▲。

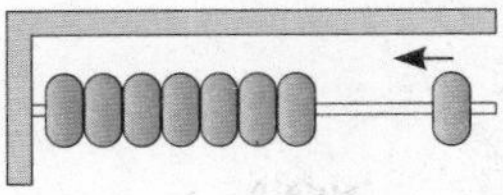

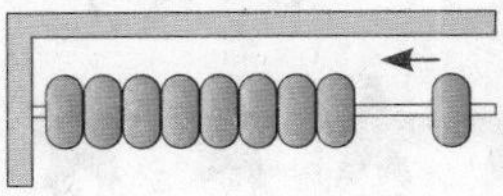

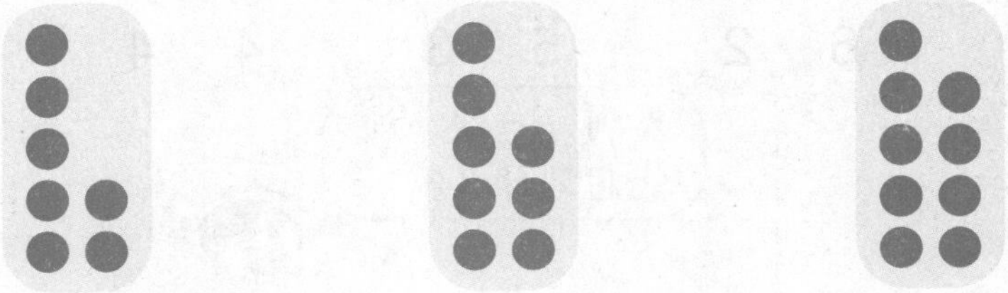

7 ◯ 8　　　　8 ◯ 9

8 ◯ □　　　　9 ◯ □

把左边的 8 只小动物圈起来，给从左边数的第 8 只小动物画上 。

老鼠排第 1，谁排第 9？ 排第几？

同桌之间像上面这样互相提一个问题。

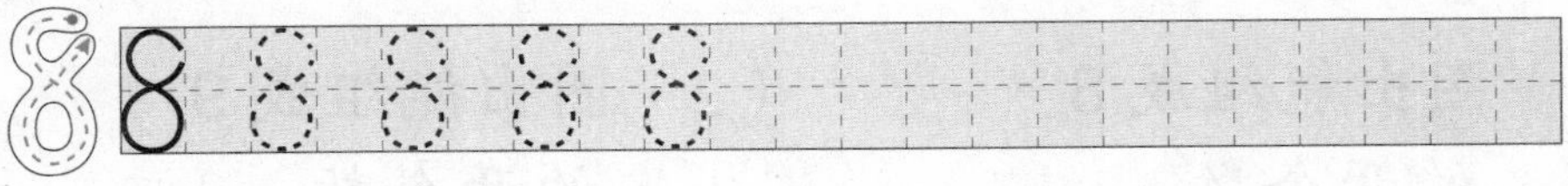

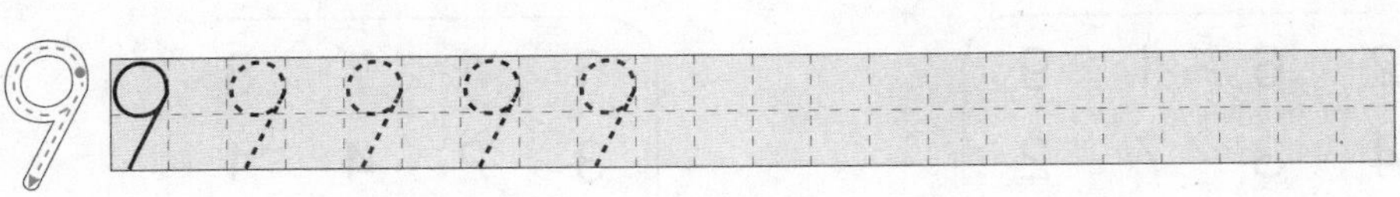

8 个 ★ 分成两组，有几种分法？

★★★★★★★★

| 8 | 8 | 8 | 8 |
| --- | --- | --- | --- |
| 7　1 | 6　2 | 5　3 | 4　4 |

看到每一组，还能想到什么？

用 ● 摆一摆。

| 9 | 9 | 9 | 9 |
| --- | --- | --- | --- |
| 8　1 | 7　□ | □　□ | □　□ |

9

8　1

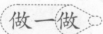

9
1　8

做一做

1. 

| | | | |
| --- | --- | --- | --- |
| □ 分成 3　5 | 2　7 合成 □ | 8 分成 2　□ | □　5 合成 9 |

2. （1）圈出能组成 8 的两个数。

| | | | |
| --- | --- | --- | --- |
| 2 | 6 | 1 | 9 |
| 4 | 3 | 7 | 2 |
| 5 | 4 | 8 | 1 |

（2）圈出能组成 9 的两个数。

| | | | |
| --- | --- | --- | --- |
| 6 | 1 | 7 | 8 |
| 3 | 2 | 4 | 1 |
| 9 | 4 | 5 | 3 |

 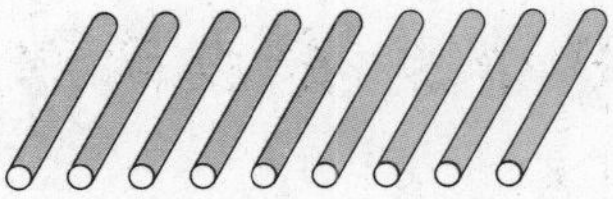

5+3=8　　　　5+4=9

3+5=8　　　　4+5=9

8−5=3　　　　9−5=4

8−3=5　　　　9−4=5

填一填。

6+2=□　　　　6+3=□

2+6=□　　　　3+6=□

8−2=□　　　　9−3=□

8−6=□　　　　9−6=□

想一想。

4+4=□　　8−4=□

做一做

1. 7+1=□　　7+2=□　　8+1=□

1+7=□　　2+7=□　　1+8=□

8−1=□　　9−2=□　　9−1=□

8−7=□　　9−7=□　　9−8=□

2. 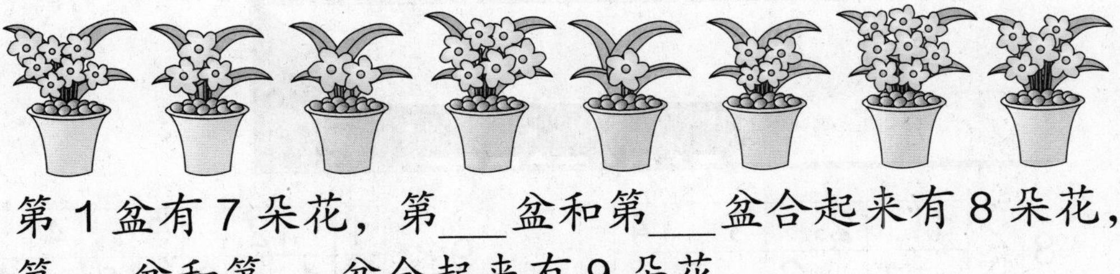

第 1 盆有 7 朵花，第___盆和第___盆合起来有 8 朵花，第___盆和第___盆合起来有 9 朵花。

## 练习十一

1. 按 0～9 的顺序连线。

2. 数一数，比一比。

| | ＿＿＿＿ | 只 |
|---|---|---|
| | ＿＿＿＿ | 只 |

▢ ◯ ▢

3.

我在第 1 车厢。
我在第几车厢？
和同桌互相提一个问题。

1　　3

7　　4

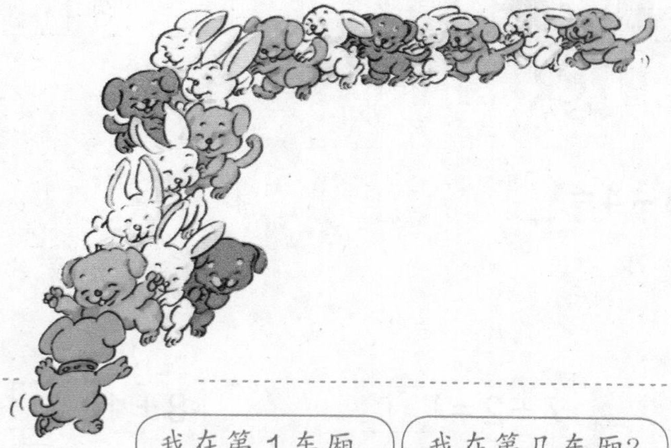

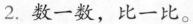

4.

8 < 
| 1 | 2 | 3 | 4 |
|---|---|---|---|
| 1 | 2 | 3 |  |

9 < 
| 1 | 2 | 3 | 4 |
|---|---|---|---|
| 1 | 2 | 3 | 4 |

5. 找朋友。

6.  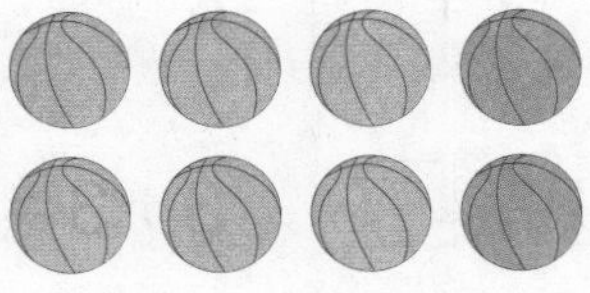

5 + 4 = □　　9 − 4 = □　　6 + 2 = □　　8 − 2 = □

4 + □ = □　　9 − □ = □　　2 + □ = □　　8 − □ = □

7. 哪两张卡片上的数相加得8？
哪两张卡片上的数相加得9？

8.

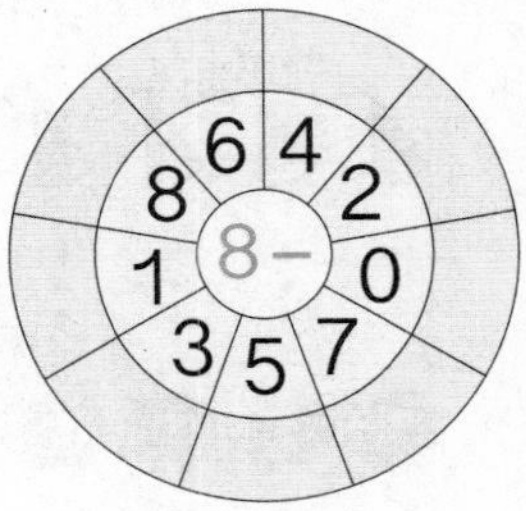


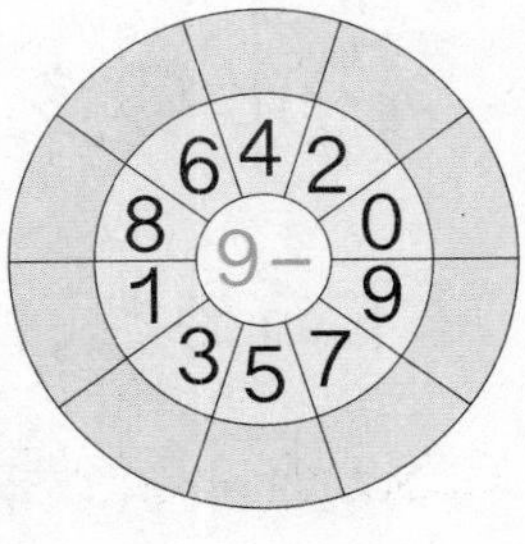


9. 抄写算式并计算。

3+5=　　9−8=　　2+7=

10. 看谁算得都对。

5+2=□  9-7=□  1+8=□  9-3=□

8-4=□  3+6=□  7-4=□  0+6=□

11.

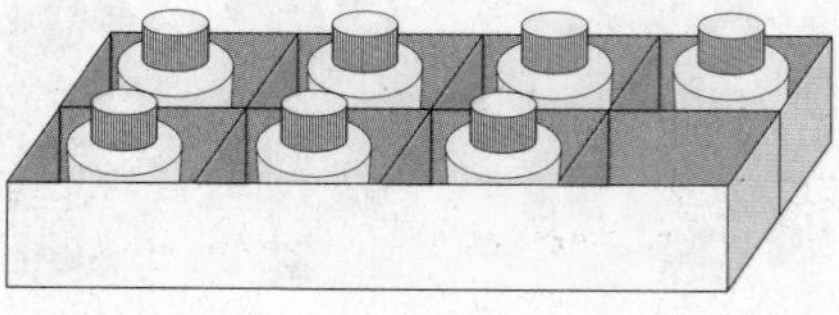

7+□=8

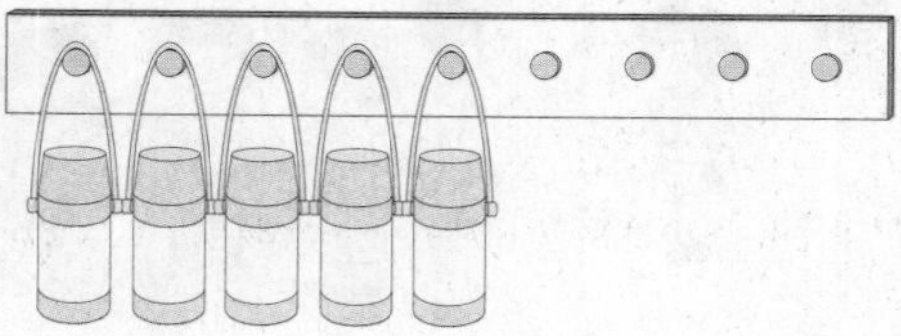

5+□=9

12. 6-2=□  3+3=□

7-2=□  4+3=□

8-2=□  5+3=□

9-2=□  6+3=□

你发现了什么?

13.

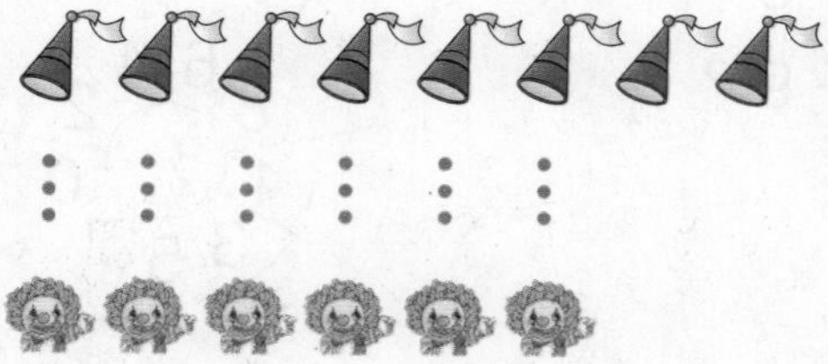

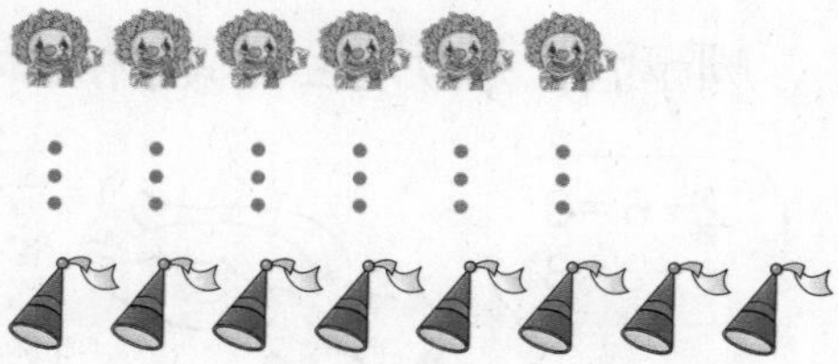

🔔 比 🐩 多___。    🐩 比 🔔 少___。

14. 用下面的数,你能写出几组算式?

2  5  7  0  8  6  3  1  4  9

□+□=□      □-□=□

□+□=□      □-□=□

□+□=□      □-□=□

□+□=□      □-□=□

一共有9只。
树根下有6个。
还剩几只？
一共有8只。

关于，从图中你知道了什么？

要解决的问题是“还剩几只”。

一共有□只，
跑走□只。

怎样解答？

求还剩几只，怎样计算？

□○□=□（只）

?

解答正确吗？

还剩□只。

从图中你能提出其他数学问题并解答吗？

# 练习十二

1\.

6 个

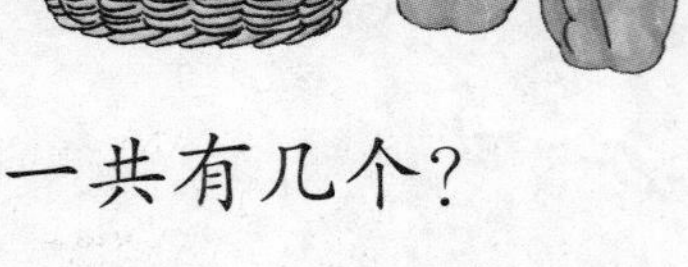

一共有几个？

□○□=□（个）

一共有 8 只小鸡。

还剩几只小鸡？

□○ 4 =□（只）

2\.

| | | | |
|---|---|---|---|
| 9－3= | 0+9= | 3+4= | 6+2= |
| 2+4= | 8－1= | 2+7= | 7－5= |
| 5+3= | 4+4= | 8－6= | 6－3= |

3\.

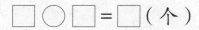

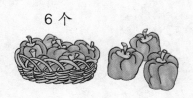

我们一共堆了8个。
对不起，我弄坏了3个。

这里一共有 9 个桶。

从图中你能提出数学问题并解答吗？

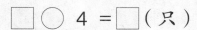

# 10

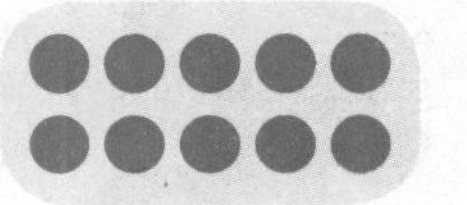

10

摆10朵🌼。

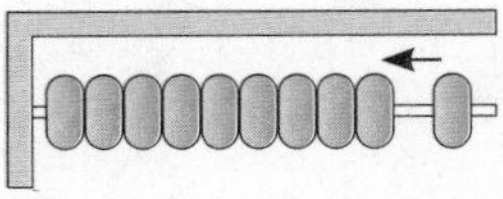

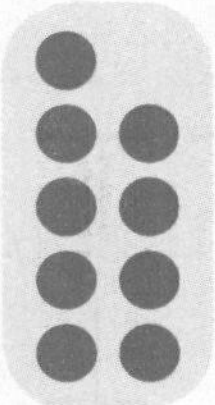

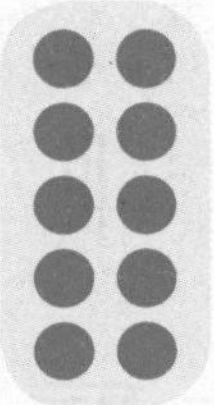

9 ○ □

10 ○ □

先用 ╱ 摆一摆，再填数。

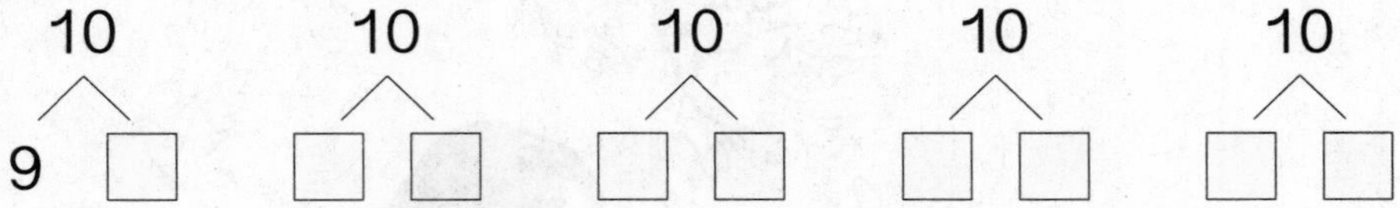

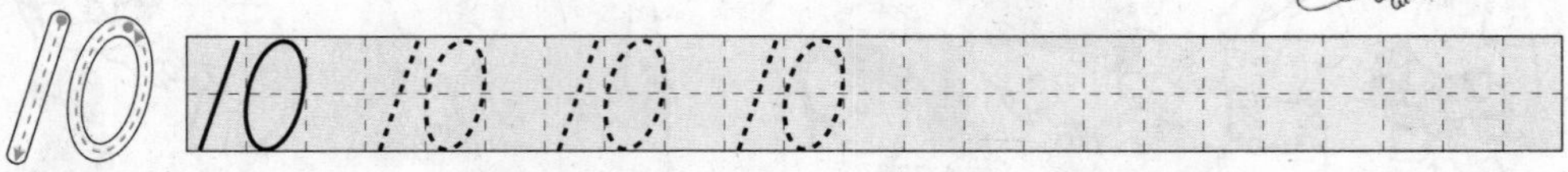

看到每一组，你还能想到什么？

做一做

哪两个数合起来是 10 ？

```
        4   3   2
    5               1
    9               6
        7   5   8
```

我国古代用算筹（chóu）来表示数。

| | 1 | 2 | 3 | 4 | 5 | 6 | 7 | 8 | 9 |
|---|---|---|---|---|---|---|---|---|---|
| 纵式 | | | | | | | | | |
| 横式 | | | | | | | | | |

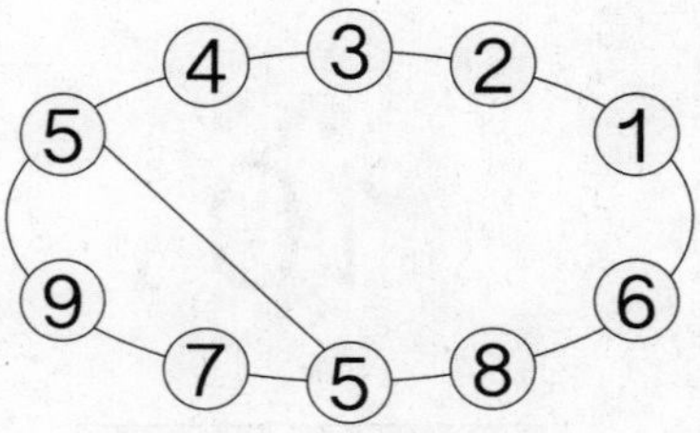

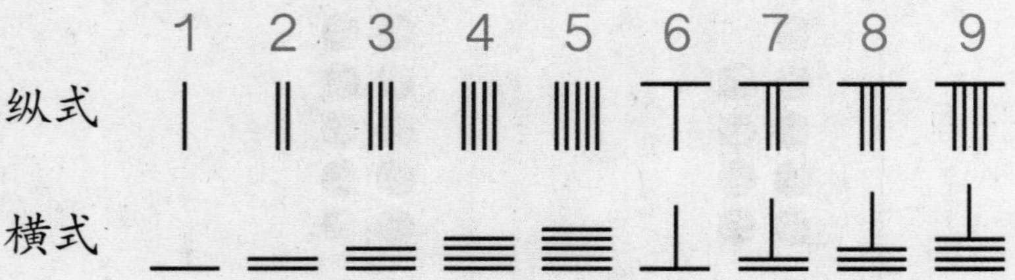

算筹是用竹、木或骨等制成的细棍。

10 → 1　9

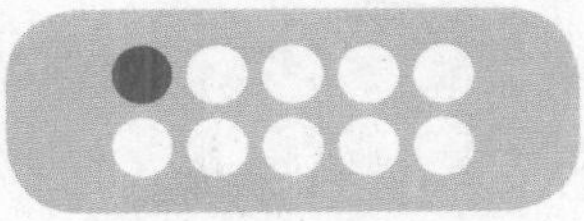

1+9=□
9+1=□
10−1=□
10−9=□

10 → 2　□

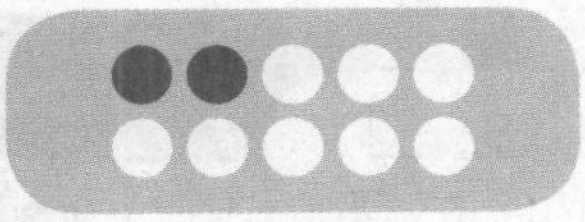

2+□=□　　10− 2 =□
　　　　　10−□=□

10 → 3　□

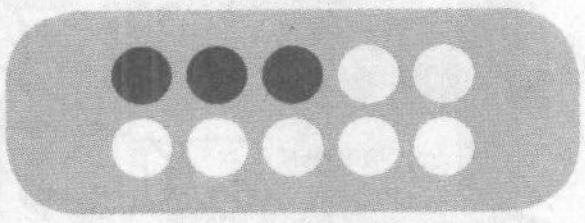

3+□=□　　10− 3 =□
　　　　　10−□=□

10 → □　6

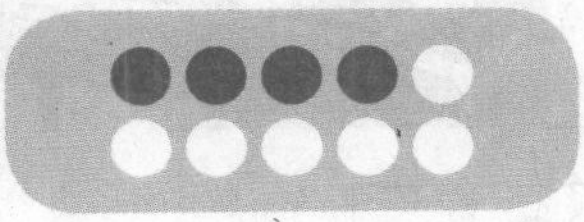

□+6=□　　10−□=□
　　　　　10−□=□

想一想。　　5+5=□　　10− 5 =□

## 做一做

1. 找朋友。

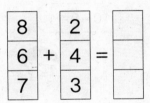

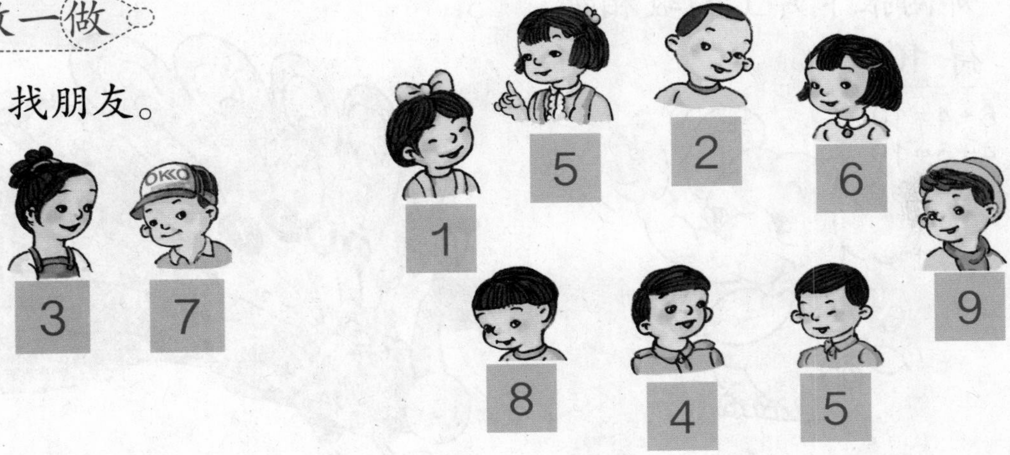


2.

| 8 | | 2 | | |
|---|---|---|---|---|
| 6 | + | 4 | = | |
| 7 | | 3 | | |

| | 0 | | |
|---|---|---|---|
| 10− | 8 | = | |
| | 9 | | |

1. 0 1 2 3 4 □ □ 7 8 □ 10

2.

□、□、8、□、6、5、□、□、□、1。发射!

3. 10 <
| 9 | 2 | | 4 | | 6 | | 8 | |
|---|---|---|---|---|---|---|---|---|
| 1 | | 3 | | 5 | | 7 | | 9 |

4. 哪两张卡片上的数相加得 10？

6+4=10
4+6=10

5.

10－9＝1

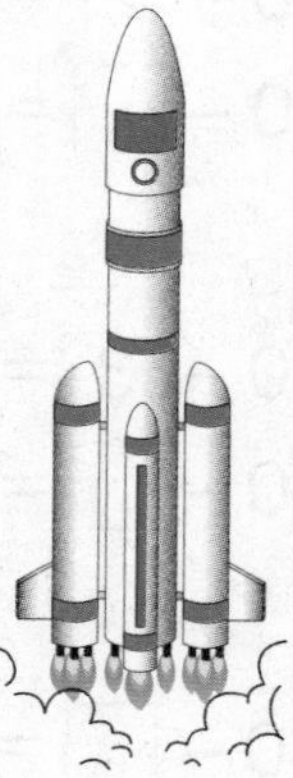

6.

10 < 1, □　　　1 + □ = 10　　　10 − 1 = □
　　　　　　　　　　　　　　　　10 − □ = 1

10 < □, □　　　□ + □ = 10　　　□ − □ = □
　　　　　　　　　　　　　　　　□ − □ = □

7. 画一画，填一填。

●●● ____________________　　3 + □ = 10

●●●●● ______________　　5 + □ = 10

●●●●●●●● ______　　8 + □ = 10

8. 9 + 1 = □

8 + < 1 = □, 2 = □

7 + < 3 = □, 1 = □, 2 = □

6 + < 2 = □, 4 = □, 1 = □, 3 = □

9. 看谁算得都对。

| | | | |
|---|---|---|---|
| 8+0= | 3+4= | 9−2= | 4+5= |
| 9−6= | 7−4= | 5+2= | 10−8= |

10.

一共有 10 个。

还剩几个？

□ ○ □ = □（个）

一共有多少个？

□ ○ □ = □（个）

11. 在◯里填上“>”“<”或“=”。

3+6◯9　　2+4◯7　　7+3◯9

10-4◯8　　9-3◯5　　9+0◯9

12. 说一说图中哪些可以用 7+3=10 表示。

13.

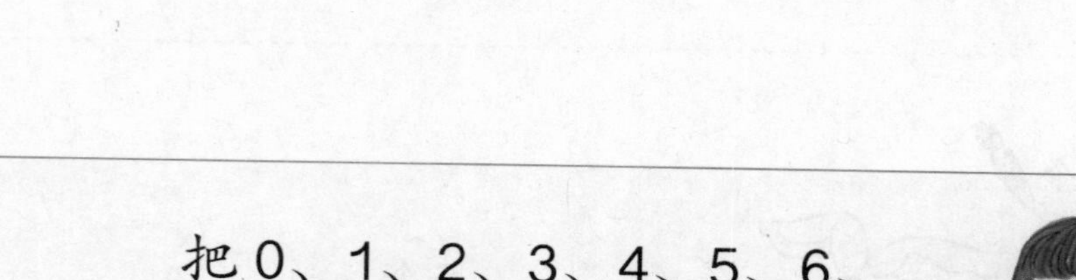

比多____。

比少____。

把 0、1、2、3、4、5、6、7、8、9 十个数填在□里，每个数只用一次。

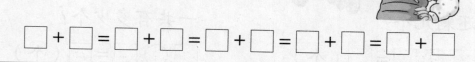

□+□=□+□=□+□=□+□=□+□

## 连加 连减

5 + 2 + 1 = 8

7

8 − 2 − 2 = 4

6

## 做一做

填一填。

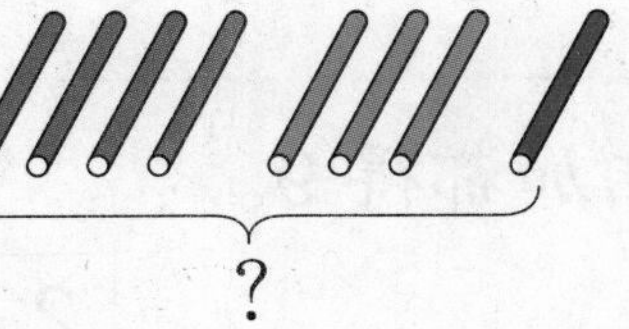

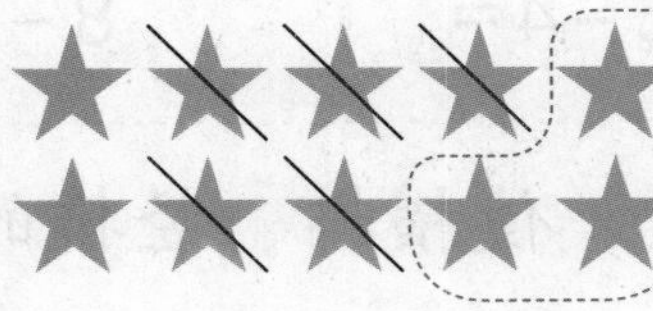

4+3+□=□　　　　10−3−□=□

# 练 习 十 四

1. 2+3=□　　4+2=□　　1+2=□

5+4=□　　6+4=□　　3+3=□

2+3+4=□　　4+2+4=□　　1+2+3=□

2.

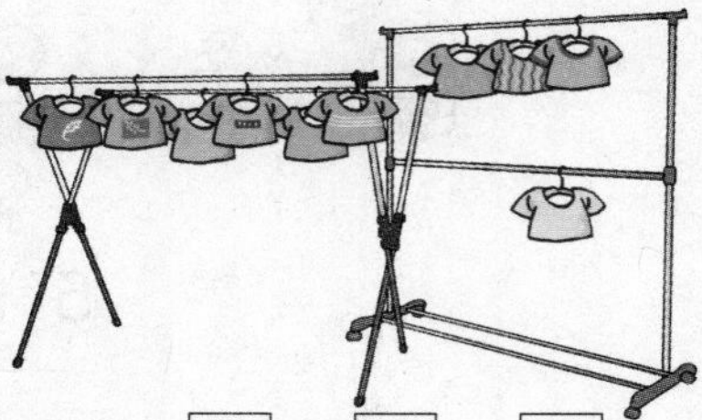

3+□+□=□　　6+□+□=□

3. 3+4+1=　　4+3+2=　　7+2+1=

2+2+4=　　5+0+3=　　6+4+0=

4.

8 辆

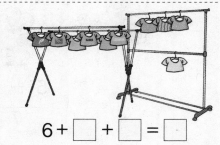

10 块

8−4−□=□　　10−3−□=□

5. 8−5−3=　　7−2−3=　　10−4−5=

6−2−1=　　10−6−2=　　9−3−6=

9−5−4=　　8−0−8=　　5−1−3=

6. 填数，使横排、竖排的三个数相加都得 9。

| | | |
|---|---|---|
| | 1 | |
| 2 | 3 | □ |
| | □ | |

## 加减混合

4 + 3 − 2 = 5

7

4 − 2 + 3 = □

□

## 做一做

6 ○ □ ○ □ = □

# 练习十五

1. 连一连。

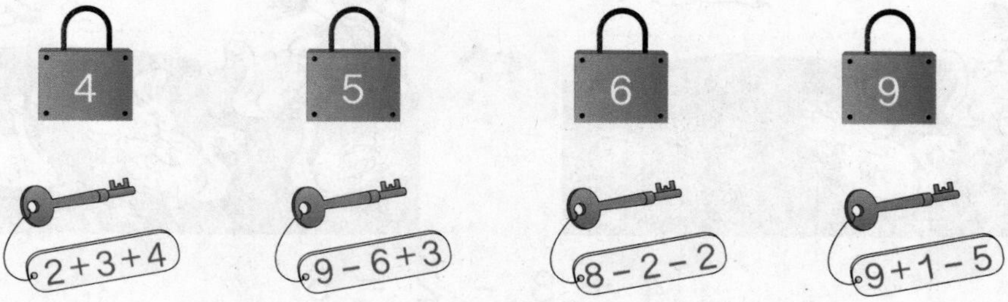


2. 抄写算式并计算。

4+5-7=　　　　3+7-2=

3. 1+4+5=

10-4-4=

2+7+0=

7-6+5=

8-1-3=

2+6-7=

4. 每行、每列上的三个数相加，各得多少？

| | | | |
|---|---|---|---|
| | 3 | | |
| 2 | 1 | 5 | (　) |
| | 4 | | |
| | (　) | | |

| | | | |
|---|---|---|---|
| 1 | 6 | 3 | (　) |
| 4 | 2 | 2 | (　) |
| 3 | 1 | 5 | (　) |
| (　) | (　) | (　) | |

5.

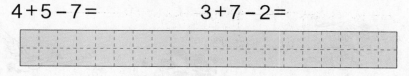

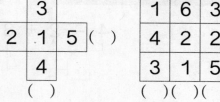

6. 6+□=10　　7+□=10　　9+□=10

8+□=10　　5+□=10　　10+□=10

# 整理和复习

1. 这一单元你学习了哪些数？请你写出来。

在□层，在□层。这栋楼一共有□层。

2. 在卡片上写出10以内所有的加法算式并进行整理，说说自己是怎样整理的。

| | | | | | | | | | | |
|---|---|---|---|---|---|---|---|---|---|---|
| 0+0 | | | | | | | | | | |
| 1+0 | 0+1 | | | | | | | | | |
| 2+0 | 1+1 | 0+2 | | | | | | | | |
| 3+0 | 2+1 | 1+2 | 0+3 | | | | | | | |
| 4+0 | 3+1 | 2+2 | 1+3 | 0+4 | | | | | | |
| 5+0 | 4+1 | 3+2 | 2+3 | 1+4 | 0+5 | | | | | |
| 6+0 | 5+1 | 4+2 | 3+3 | 2+4 | 1+5 | 0+6 | | | | |
| 7+0 | 6+1 | 5+2 | 4+3 | 3+4 | 2+5 | 1+6 | 0+7 | | | |
| 8+0 | 7+1 | 6+2 | 5+3 | 4+4 | 3+5 | 2+6 | 1+7 | 0+8 | | |
| 9+0 | 8+1 | 7+2 | 6+3 | 5+4 | 4+5 | 3+6 | 2+7 | 1+8 | 0+9 | |
| 10+0 | 9+1 | 8+2 | 7+3 | 6+4 | 5+5 | 4+6 | 3+7 | 2+8 | 1+9 | 0+10 |

（1）说一说表里的算式是怎样排列的。

（2）任意指一道算式很快说出得数。

（3）计算最后一行算式，你发现了什么？

3. 在卡片上写出 10 以内所有的减法算式并进行整理，说说自己是怎样整理的。

| | | | | | | | | | | |
|---|---|---|---|---|---|---|---|---|---|---|
| 0－0 | | | | | | | | | | |
| 1－0 | 1－1 | | | | | | | | | |
| 2－0 | 2－1 | 2－2 | | | | | | | | |
| 3－0 | 3－1 | 3－2 | 3－3 | | | | | | | |
| 4－0 | 4－1 | 4－2 | 4－3 | 4－4 | | | | | | |
| 5－0 | 5－1 | 5－2 | 5－3 | 5－4 | 5－5 | | | | | |
| 6－0 | 6－1 | 6－2 | 6－3 | 6－4 | 6－5 | 6－6 | | | | |
| 7－0 | 7－1 | 7－2 | 7－3 | 7－4 | 7－5 | 7－6 | 7－7 | | | |
| 8－0 | 8－1 | 8－2 | 8－3 | 8－4 | 8－5 | 8－6 | 8－7 | 8－8 | | |
| 9－0 | 9－1 | 9－2 | 9－3 | 9－4 | 9－5 | 9－6 | 9－7 | 9－8 | 9－9 | |
| 10－0 | 10－1 | 10－2 | 10－3 | 10－4 | 10－5 | 10－6 | 10－7 | 10－8 | 10－9 | 10－10 |

（1）说一说表里的算式是怎样排列的。

（2）任意指一道算式很快说出得数。

（3）计算第一列算式，你发现了什么？

4. 说说要解决什么问题，要找什么信息并解答。

一共有多少只 ？ □○□=□（只）

5.

说一说图的意思并用算式表示。□○□○□=□

# 练习十六

1.

```
   9              10
  / \            /  \
 7   □          4    □
```

□○□=□　　□○□=□

□○□=□　　□○□=□

□○□=□　　□○□=□

2. 看谁算得都对。

| | | | |
|---|---|---|---|
| 3+2= | 2+7= | 10−9= | 3+6= |
| 7−4= | 8−4= | 6+4= | 10−7= |
| 6+3= | 5+5= | 1+8= | 8+2= |
| 9−4= | 7+3= | 9−8= | 5−5= |

3. 说一说图的意思，再解答。

?只

□○□=□（只）

?只

9只

□○□=□（只）

4. 3+3+3=　　7+2−5=　　9−2−2=　　10−6+5=

5.

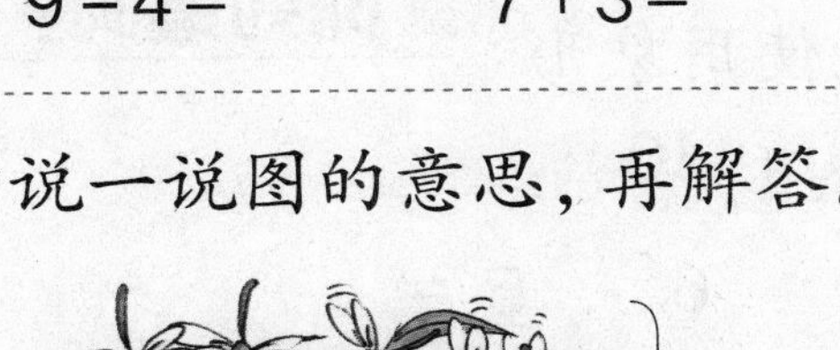


6只

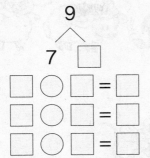

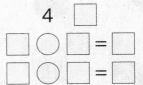

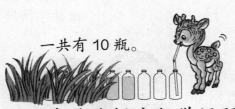

从图中你能提出数学问题并解答吗？

6.

7. 填数，使每条线上的三个数相加都得 10。

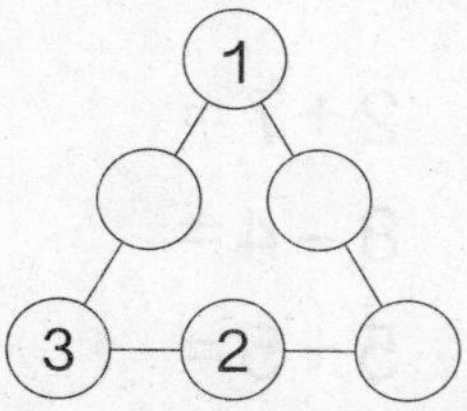


**你知道吗？**

在很久以前，古埃及使用象形数字，用 | 表示 1，∩ 表示 10。

10 － 1 ＝ 9　　　　6 － 5 ＝

你能用这样的数计算吗？试一试。

本单元结束了，你想说些什么？

成长小档案

★★★★★

# 6 11～20各数的认识

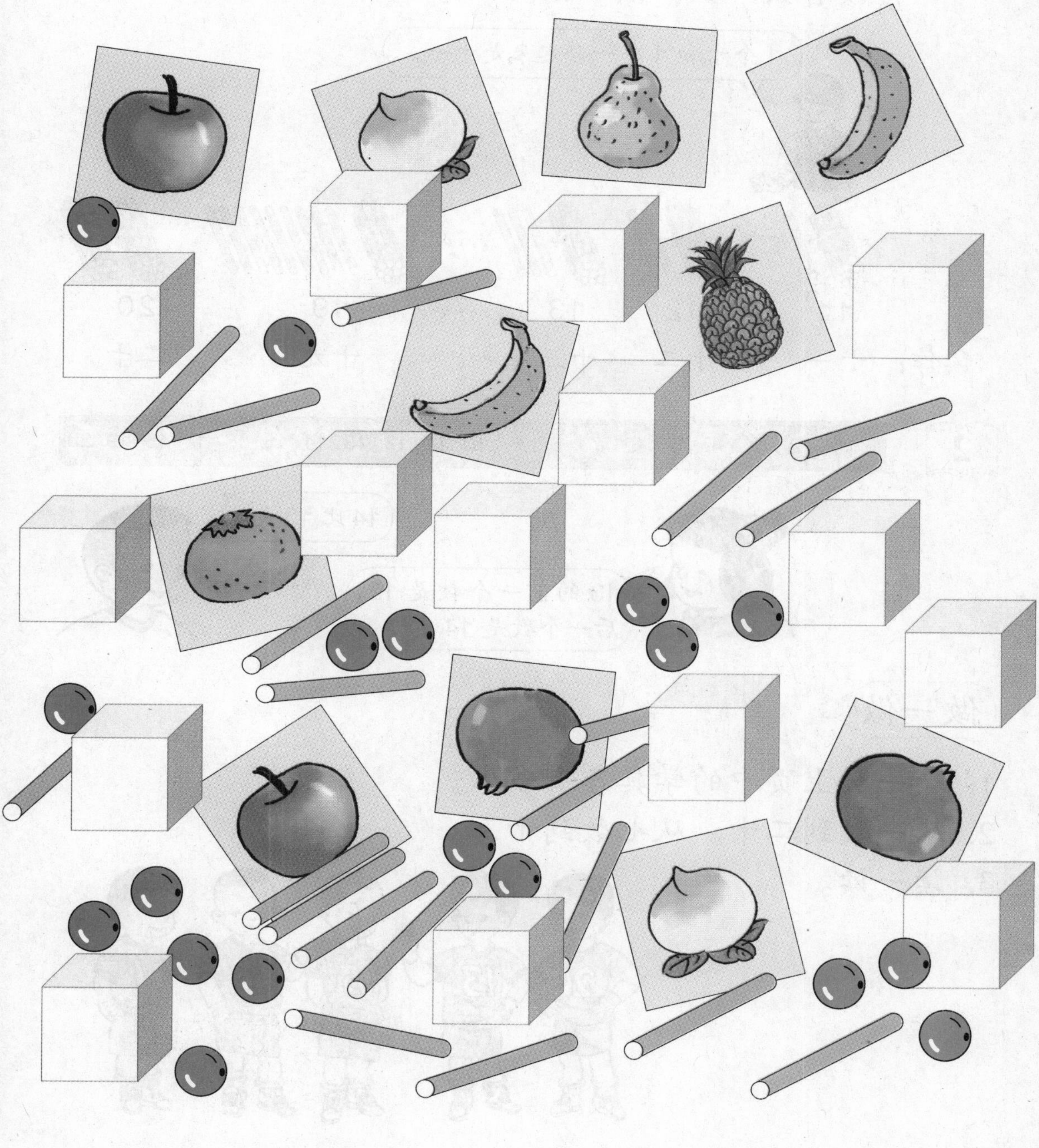

**1** 先数出十根小棒，捆成一捆。

10 个一　　　　　　　　　1 个十

再接着数一数，摆一摆。

1 个十和 1 个一合起来是十一。

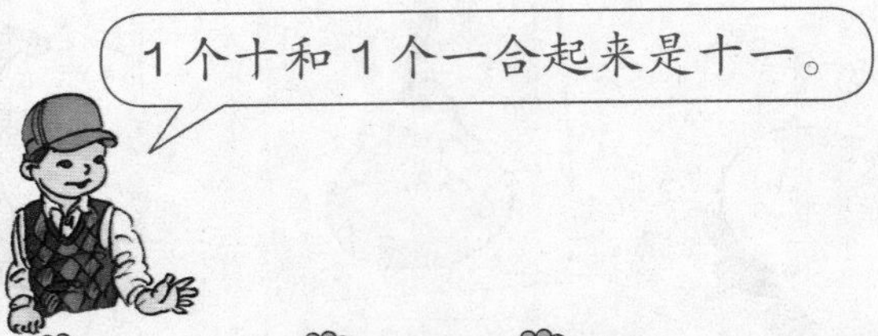

11　　　　12　　　　13　……　　19　　　　20

读作：十一　　　十二　　　十三　……　十九　　　二十

**2**

0 1 2 3 4 5 6 7 8 9 10 11 12 13 14 15 16 17 18 19 20

14 比 13 大。

13 的前一个数是 12，后一个数是 14。

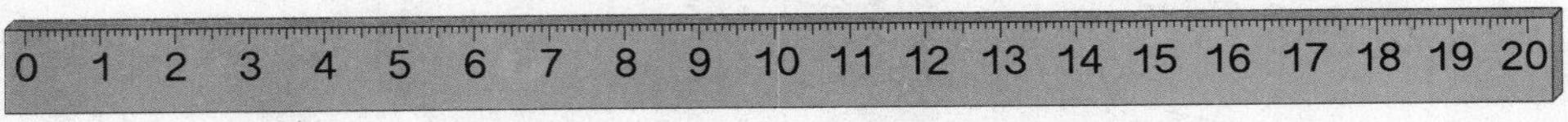

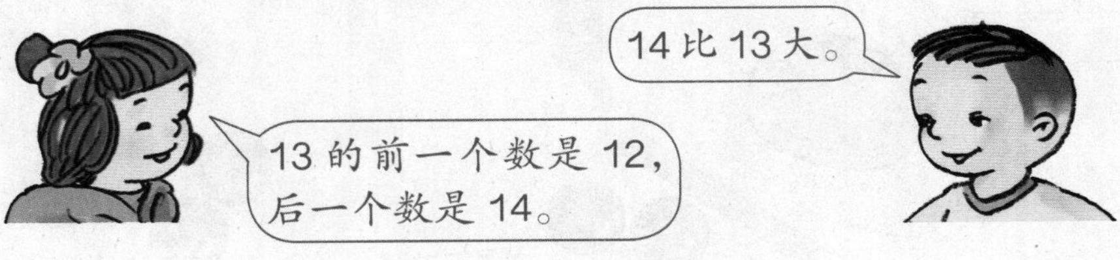

做一做

1. 数一数上页中的学具各有多少。
2. 从一数到二十。从七数到十三。
3. 读一读。

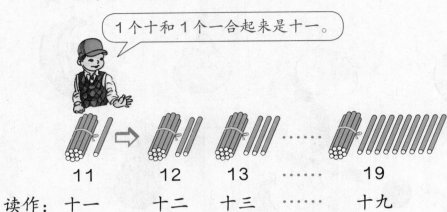

| 十位 | 个位 |
|---|---|
| 1 | 1 |

| 十位 | 个位 |
|---|---|
| 1 | 7 |

| 十位 | 个位 |
|---|---|
| 2 | 0 |

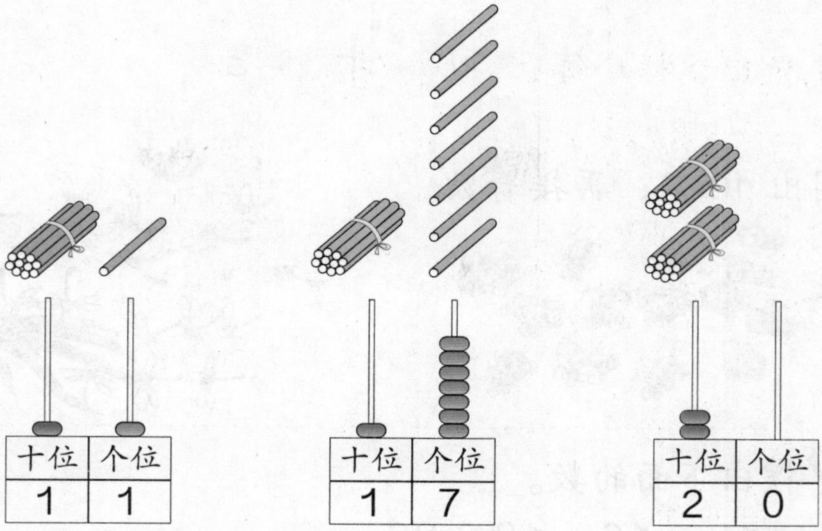

从右边起第一位是个位，第二位是十位。有1个十在十位写1，有2个十在十位写2。有几个一在个位写几。

做一做

1. 写一写，读一读。

（ ）（ ）

| 十位 | 个位 |
|---|---|

（ ）

| 十位 | 个位 |
|---|---|

（ ）

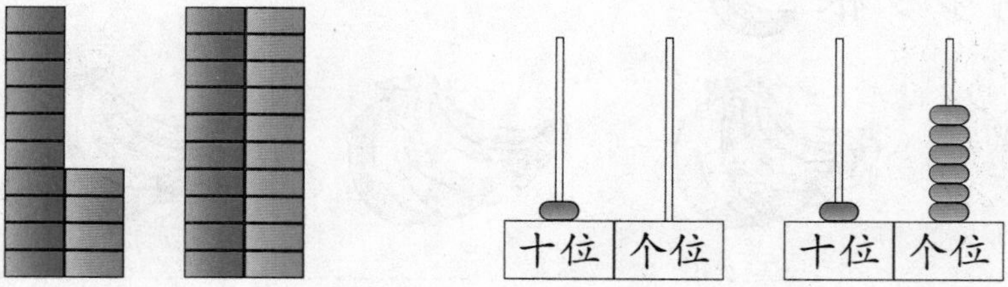

2. 用数字卡片摆出下面各数。

十六　　十一　　十九
十四　　十七　　二十

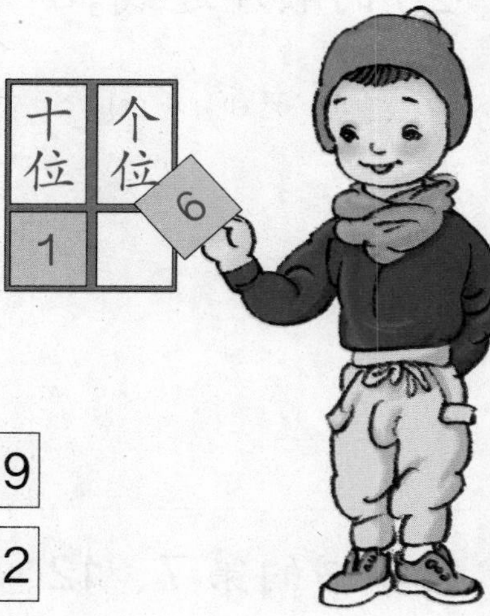

3. 按顺序填数。

| 11 | | 13 | | 16 | | | 19 |
|---|---|---|---|---|---|---|---|

| 20 | | 18 | | | 15 | | 12 |
|---|---|---|---|---|---|---|---|

## 练习十七

1. 先圈出 10 只，再接着数。

2. 用摆出下面的数。

11　13　16　18　20

3. 数一数共有多少只鞋。

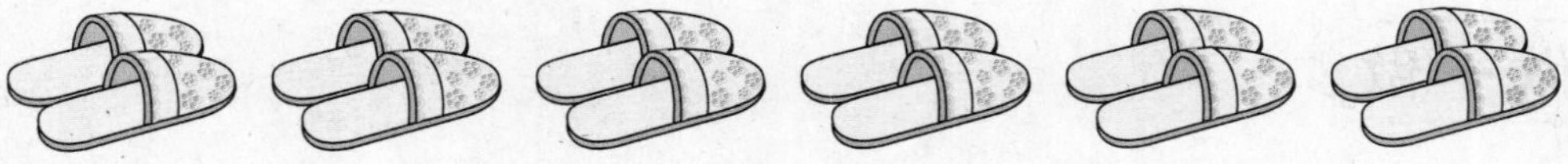

4. 数一数共有多少根。

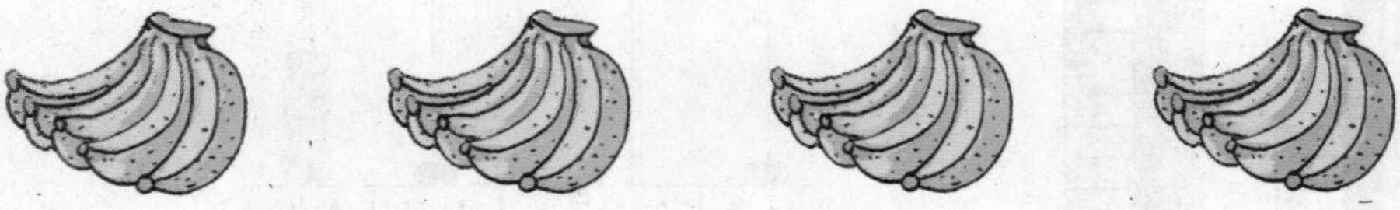

5. 按 1~20 的顺序连线。

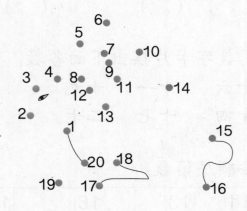

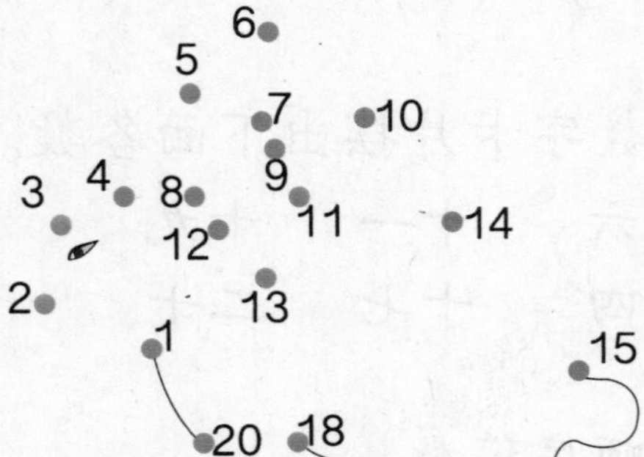


6. 找出数学书的第 7、12、18、20 页。

7.  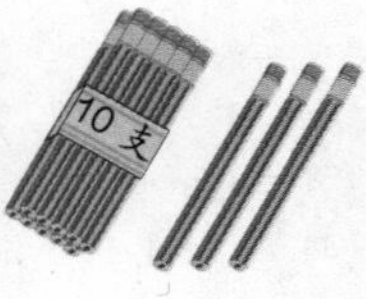 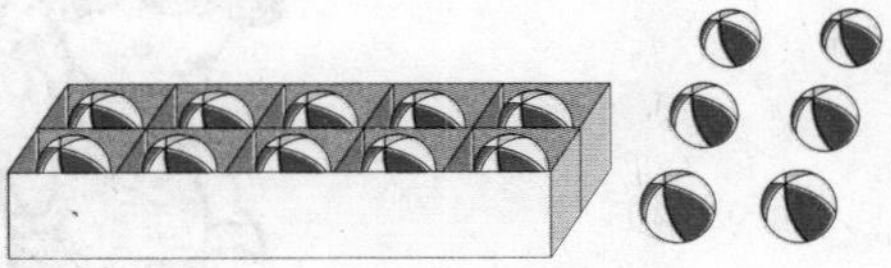


（　）本　　　（　）支　　　（　）个

你发现了什么？

8. 我是几？

我是由3个一和1个十合起来的。

（　）

我的十位上是1，个位上是9。

（　）

9. 11>□　　17<□　　□<16　　□>19

10. 

（1）一共有（　）只　　。

（2）把左边4只圈起来。从右边数，把第7只圈起来。

11. 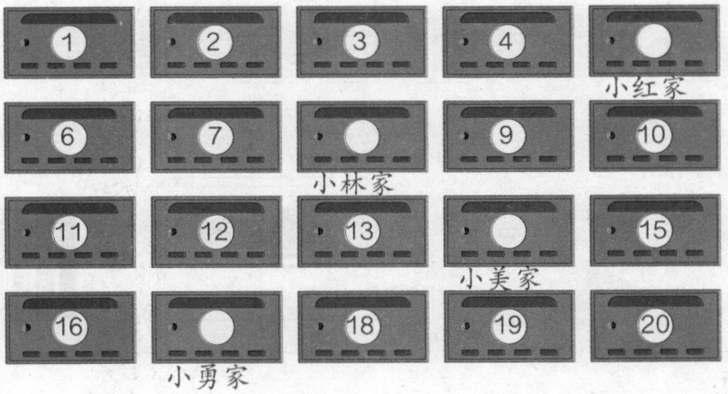

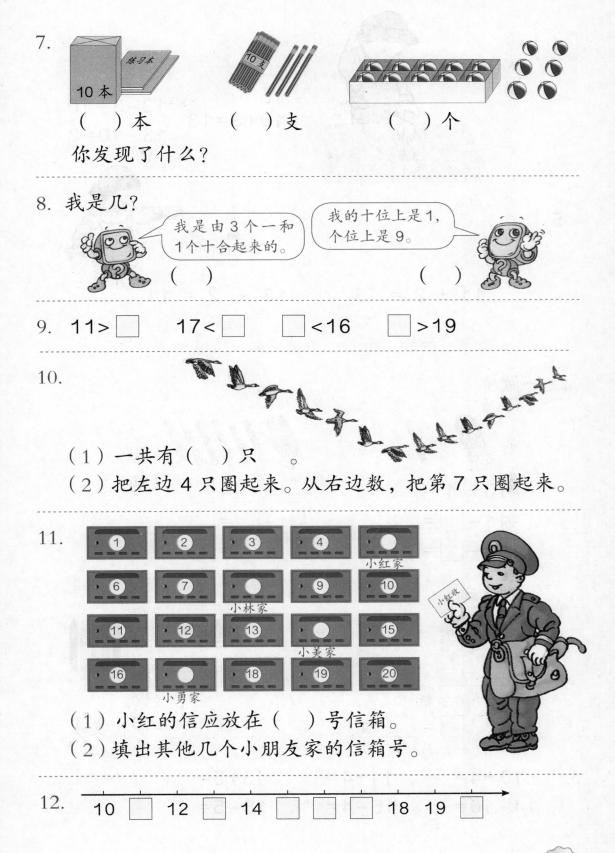

（1）小红的信应放在（　）号信箱。

（2）填出其他几个小朋友家的信箱号。

12. 10　□　12　□　14　□　□　□　18　19　□

4

$10+3=13$　　$13-3=10$

$13-10=3$

5

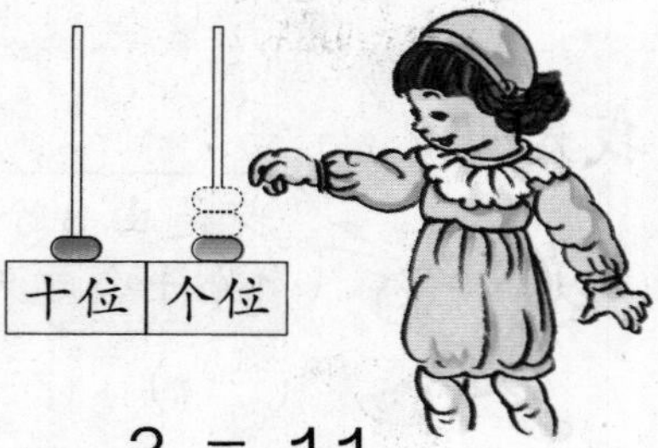


| 11 | + | 2 | = | 13 |
|---|---|---|---|---|
| 加数 | | 加数 | | 和 |

| 13 | - | 2 | = | 11 |
|---|---|---|---|---|
| 被减数 | | 减数 | | 差 |

## 做一做

1.

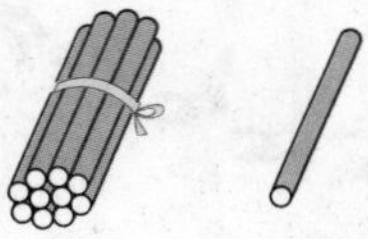

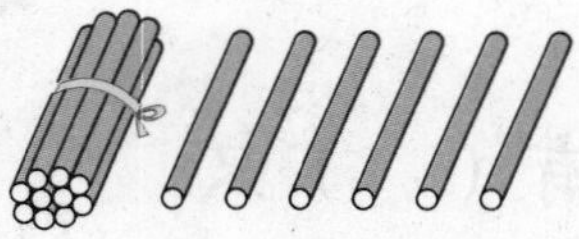

$10+1=\square$　　$\square+\square=\square$

$11-\square=\square$　　$\square-\square=\square$

$11-\square=\square$　　$\square-\square=\square$

2.

13 颗

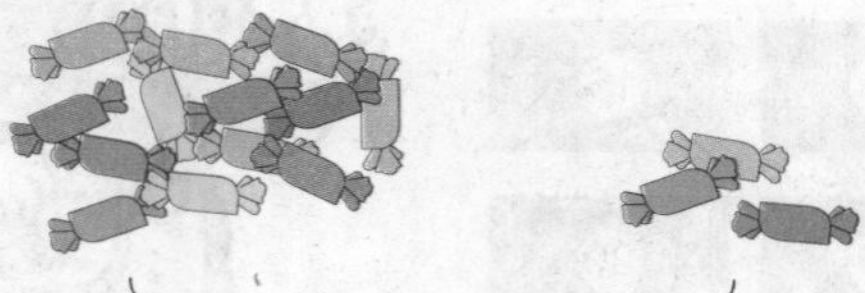

？颗

$\square\bigcirc\square=\square$（颗）

？支

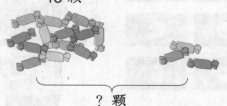

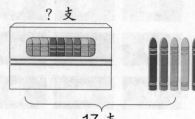

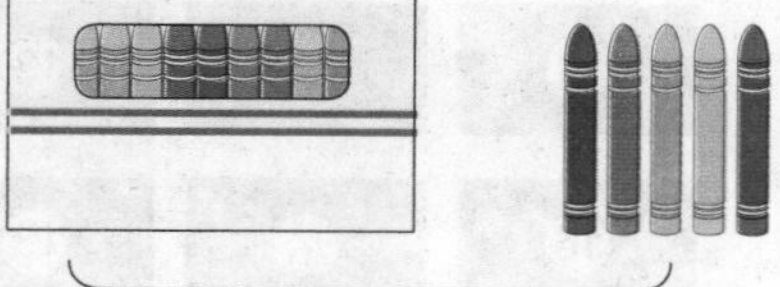

17 支

$\square\bigcirc\square=\square$（支）

3.　$10+4=$　　$11+4=$　　$13+5=$

$14-10=$　　$15-4=$　　$18-5=$

小丽

我排第 15。

我排第 10。

小宇

## 小丽和小宇之间有几人？

知道了什么？

小丽排第 □，
小宇排第 □。

要解决的问题是……

怎样解答？

数一数，小丽第 10，后面是
第 11、12、13、14，第 15
是小宇，中间有 □ 人。

我来画一画。

第10　　　　　第15

你是怎样解答的？

解答正确吗？

小丽和小宇之间有 □ 人。

做一做

我排第 4，
该我滑了。

玲玲

我排第 8。

东东

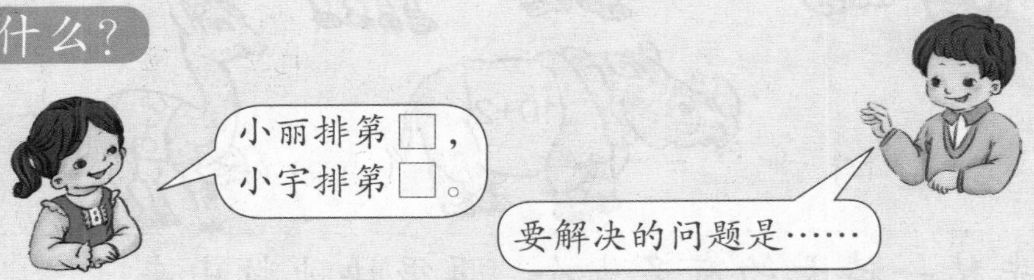

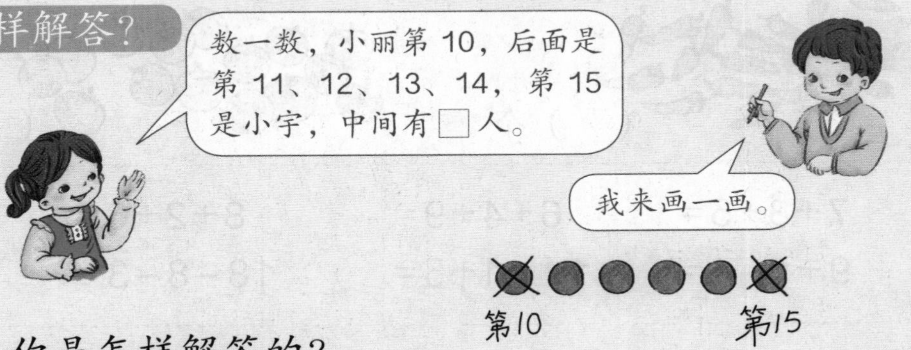

东东和玲玲
之间有几人？

# 练习十八

1. 找朋友。

2. 先猜一猜大约有多少个，再很快地数出来。

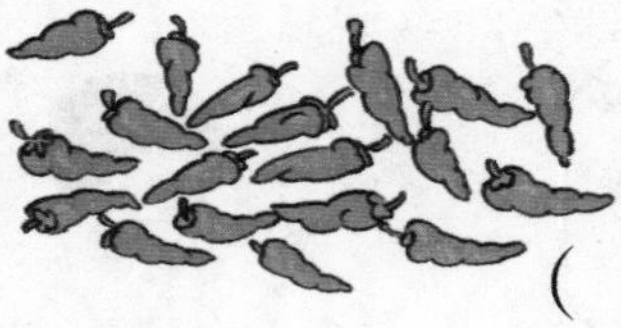

（　）个　　　　　　　　　　　　　　　　　（　）个

3.　　 $7+3+5=$ 　　　 $6+4+9=$ 　　　 $8+2+6=$

　　　 $9+1-4=$ 　　　 $11-1+5=$ 　　　 $18-8-3=$

4. 连一连，比一比。

 比 　 多____。

5.

今天有雨，运动会推迟 3 天再开。

推迟后，运动会星期几开？

6.

今天我从第 10 页读到第 14 页，明天该读第 15 页了。

他今天读了几页？

7. 7+ □ =10　　　10+ □ =12　　　11+ □ =13

得数是 8 的涂 ●，得数是 10 的涂 ●，
得数是 13 的涂 ○，得数是 14 的涂 ●。

本单元结束了，
你想说些什么？

成长小档案

★★★★★★

我发现用数数的方法可以解决很多问题。

我觉得有时候 2 个 2 个地数更方便。

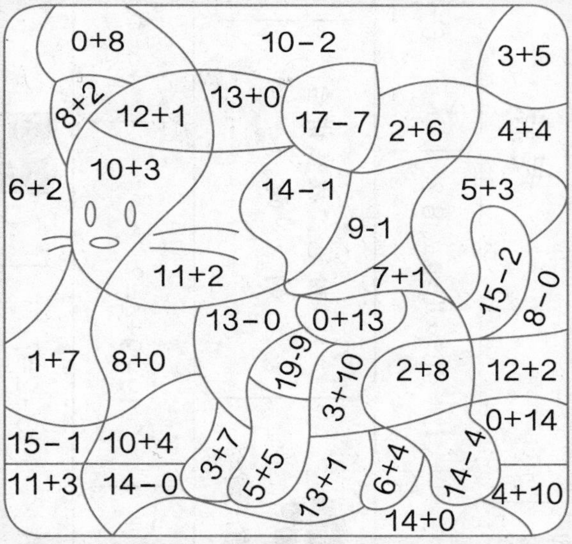

# 数学乐园

按①、②、③……⑦的顺序走。谁先走到终点谁获胜。

我出剪刀，我赢了！我先走。

走到每一格都要答题，答对了才能停在那里，答错了可要后退一格哟！

## 起点

① 几和几组成 8？

① 6+4=?

②  一共有几个轮子？

② 粉笔盒放在讲台的____面。

② 家里的电话号码由几个数字组成？

③ 6 个 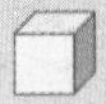 可以拼成一个大的正方体吗？

③ 19−9+4=?

③ 我的生日在___月。

③

| 19 | 18 |  | 16 |
|---|---|---|---|

④ 星期一的前一天是星期几？

④ 13−2=?

④ 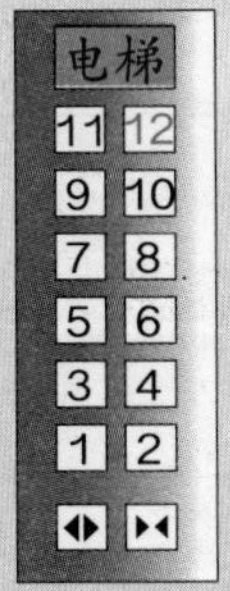

12 表示什么？

④ 星期二到星期四放假，放几天假？

④ 一周有几节数学课？

⑤ 帮小刚送一封信。

⑤ 写出大于4小于10的数。

⑤ 我坐在同桌的___边。

⑤ 帮乒乒数一数有几双袜子。

⑥ 比一比。
15◯18

⑥ 回答小童的问题。

⑥ 16的前一个数是___，后一个数是___。

⑦ 19是由几个十和几个一组成的？

⑦ 10-5-5= ?

终点

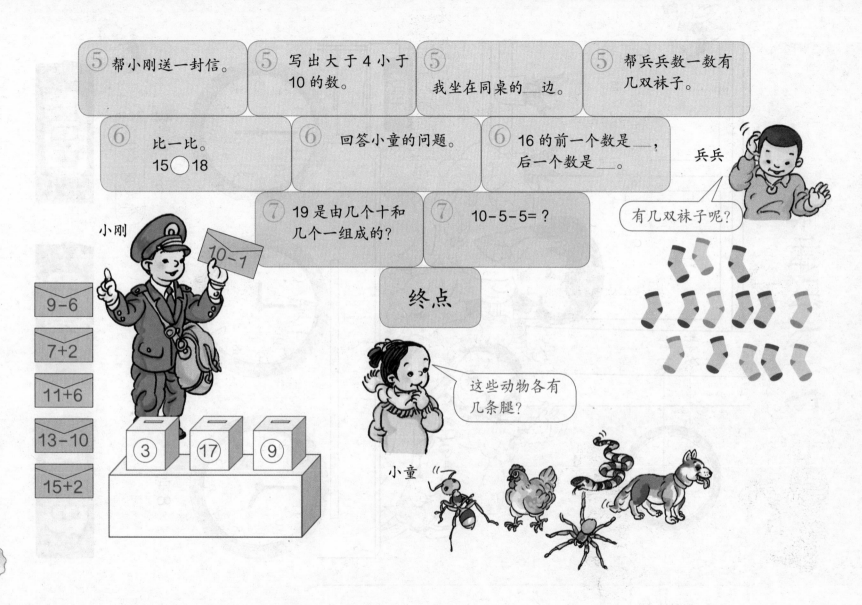

# 7 认识钟表

分针

时针

分针指向12，时针指向7，是7时。

7:00

8时

3时

6时

你发现了什么？

8:00

3:00

6:00

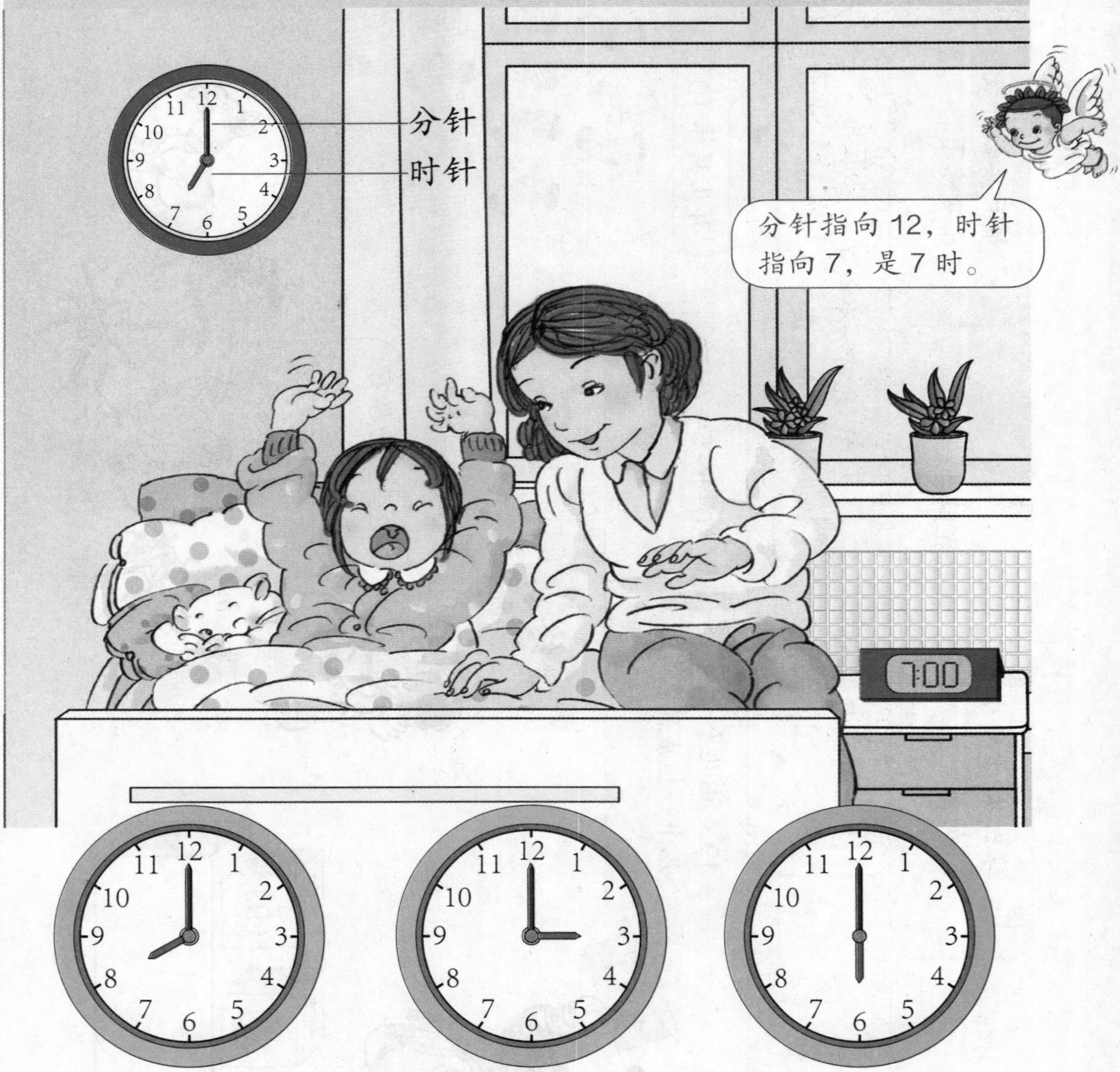

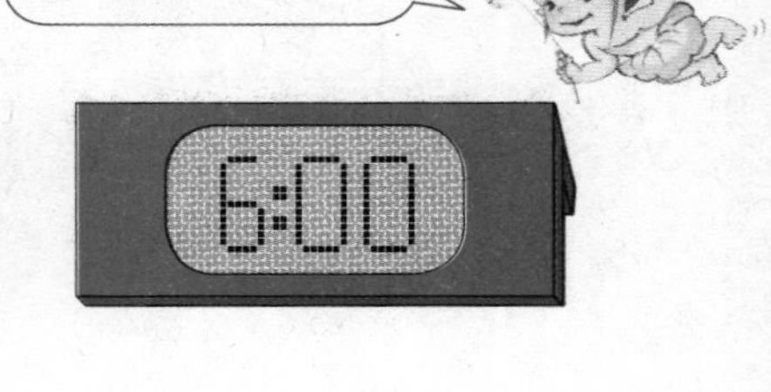

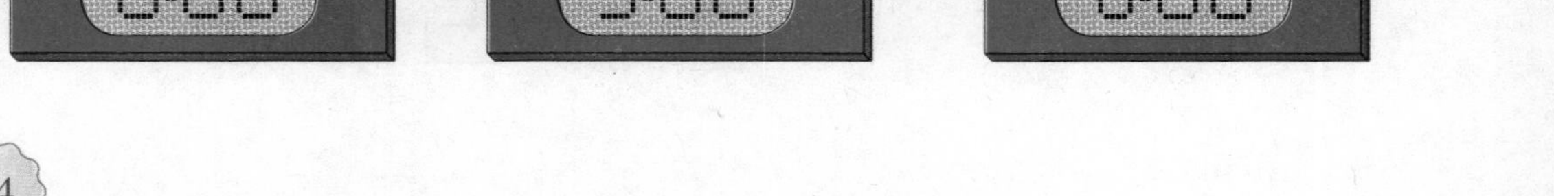

## 做一做

小明的一天。

小明 9 时在做什么？

### 你知道吗？

下面是我国古代的计时工具。

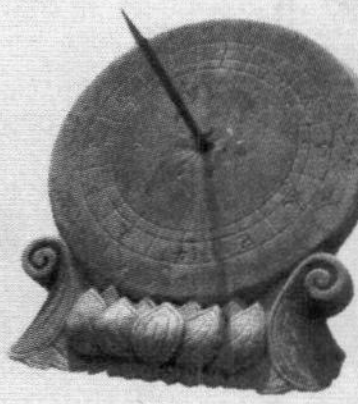
日晷（guǐ）
利用太阳照射的影子计时

铜漏壶
利用滴水计时

## 练习十九

1. 连一连。

2.

3. 过 1 小时是几时？

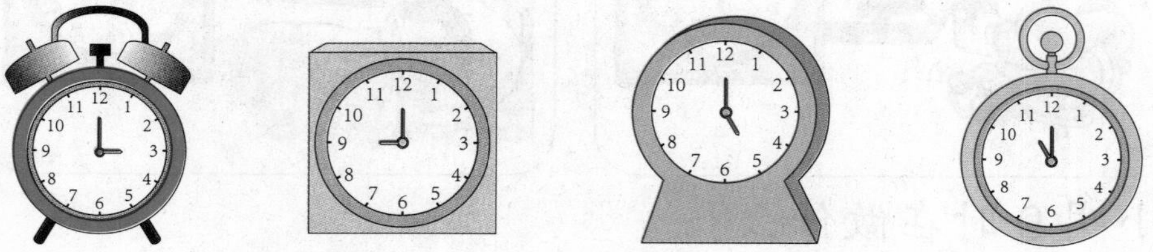

________ ________ ________ ________

4. 快乐的周末（连线）。

5. 下面的时间写对了吗？如果不对，请改正。

12：00 ______

2：00 ______

6. 照样子说一说。

快8时了。

10时过
一点儿。

7.

拨到10时。

8.

最后一个钟面的时针应该指向__，分针应该指向__。

本单元结束了，
你想说些什么？

成长小档案

我会看几时了，我还想学习怎么看几时几分。

我知道一天有两个9时。一个在上午，一个在晚上。

# 8 20以内的进位加法

$9 + 4 = \square$

先放进 1 盒凑成 10，10 加 3 得 13。

$$9 + 4 = 13$$

1　　3

10

10、11、12、13，一共有 13 盒。

你是怎样算的？

做一做

1. 摆一摆，算一算。

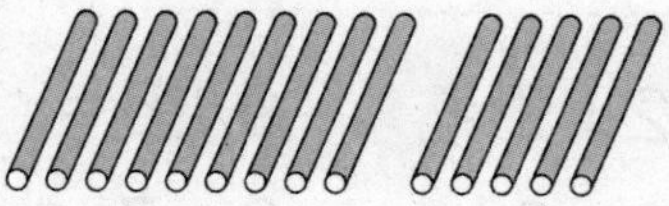

$9 + 5 = \square$

1　$\square$

10

$9 + 7 = \square$

$\square$　$\square$

10

2.　$9+1+2=$
　　$9+3 =$

　　$9+1+5=$
　　$9+6=$

　　$9+1+8=$
　　$9+9=$

3.

$9+$
2 = $\square$
4 = $\square$
6 = $\square$
8 = $\square$

$9+$
3 = $\square$
5 = $\square$
7 = $\square$

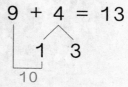

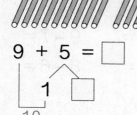

# 练习二十

1.

一共有几人？

□○□=□（人）

2. 移动 9，每次加上卡片上的数。

9 →

| | | | | | | | | | | |
|---|---|---|---|---|---|---|---|---|---|---|
| 2 | 4 | 5 | 7 | 0 | 1 | 9 | 8 | 10 | 6 | 3 |

3. 6+2=　　9+4=　　9+9=　　2+7=　　9+6=

9+3=　　3+5=　　4+6=　　9+2=　　9−7=

9+7=　　10−6=　　9−5=　　9+8=　　8−6=

4.

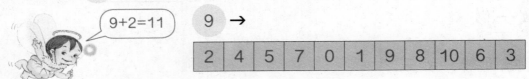

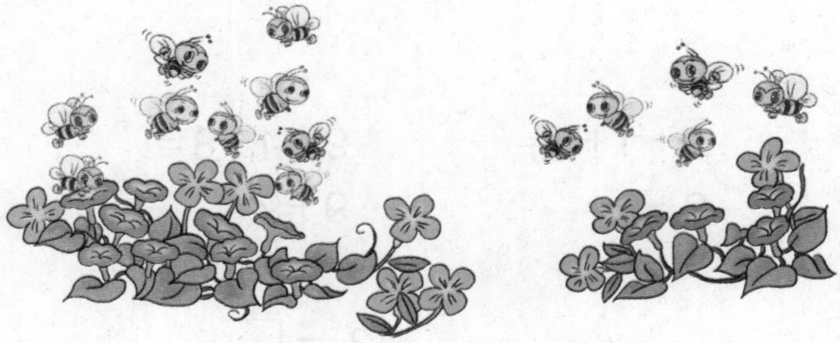

□+□=□

□+□=□

5. 在○里填上“>”“<”或“=”。

9+5○15　　9+3○12　　9+6○16

9+8○16　　9+10○20　　9+9○17

# 8、7、6加几

**2**

跑步的一共有多少个学生?

8 + 5 = □

8 + 5 = □

□ □

10

还可以怎样算?

## 做一做

1. 圈一圈，算一算。

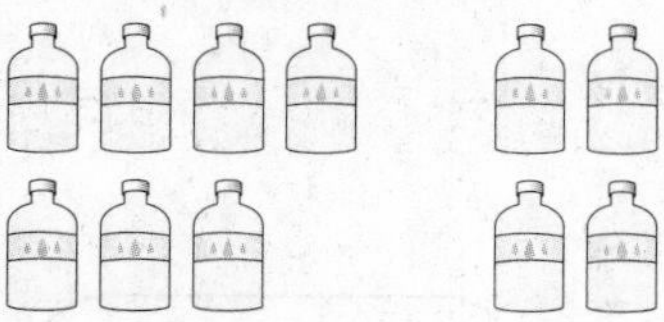

7 + 4 = □

□ □

10

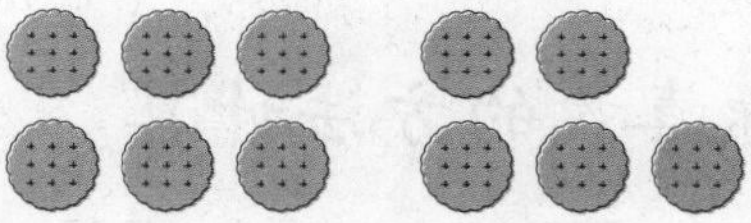

6 + 5 = □

□ □

10

2.

| | | |
|---|---|---|
| 7+3+3= | 6+4+2= | 8+2+2= |
| 7+6= | 6+6= | 8+4= |

3.

8+ 2 = □, 4 = □, 6 = □, 8 = □

7+ 4 = □, 5 = □, 6 = □, 7 = □

6+ 5 = □, 6 = □

$$8 + 9 = \boxed{\phantom{0}}$$

可以把 8 凑成 10。

可以把 9 凑成 10。

$8 + 9 = \boxed{\phantom{0}}$

$8 + 9 = \boxed{\phantom{0}}$

10          10

9+8=17
8+9=$\boxed{\phantom{0}}$

你喜欢哪一种方法?

## 做一做

1. 用你喜欢的方法计算。

$6+9=\boxed{\phantom{0}}$    $7+8=\boxed{\phantom{0}}$

怎样想能很快说出得数?

2.

| | | |
|---|---|---|
| 7+6= | 8+6= | 9+7= |
| 6+7= | 6+8= | 7+9= |

3.

8 朵

8 节

? 节          ? 朵

$\boxed{\phantom{0}} \bigcirc \boxed{\phantom{0}} = \boxed{\phantom{0}}$（节）    $\boxed{\phantom{0}} \bigcirc \boxed{\phantom{0}} = \boxed{\phantom{0}}$（朵）

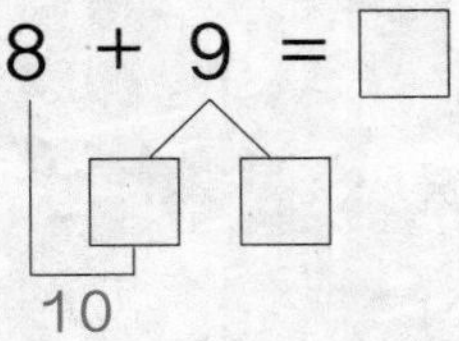

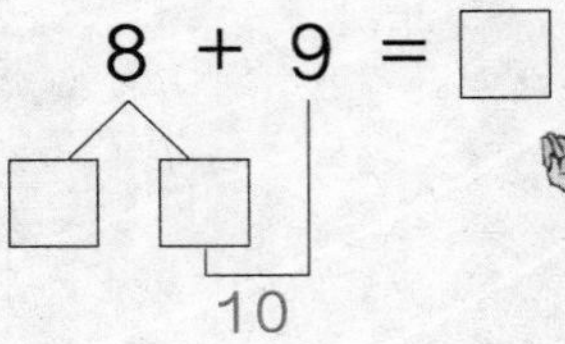

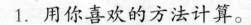

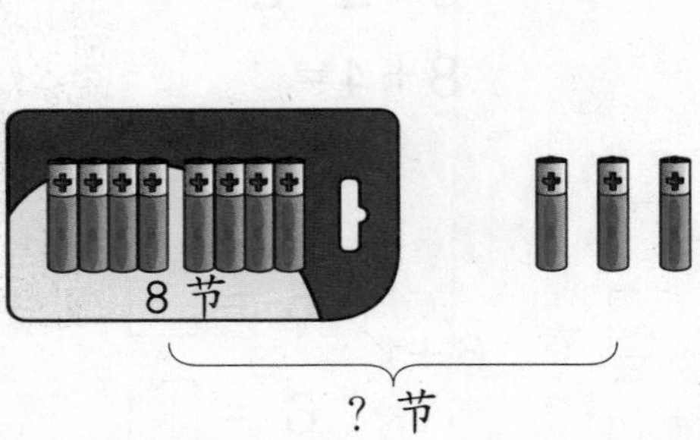

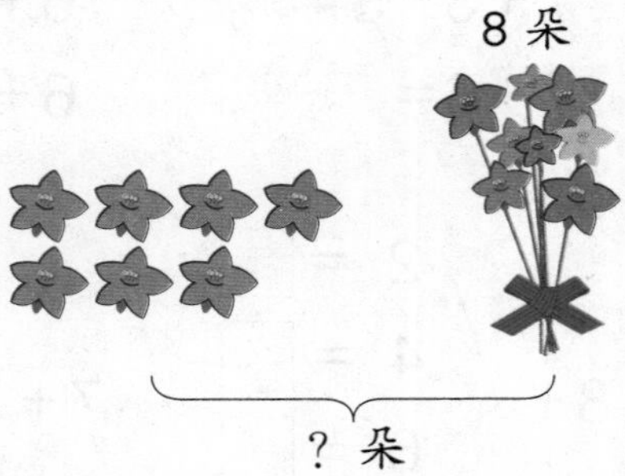

# 练习二十一

1. 先说得数，再写算式。

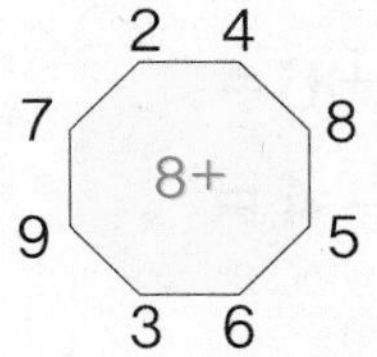


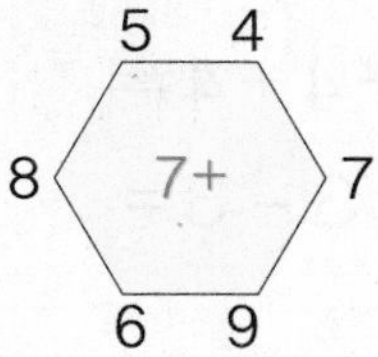


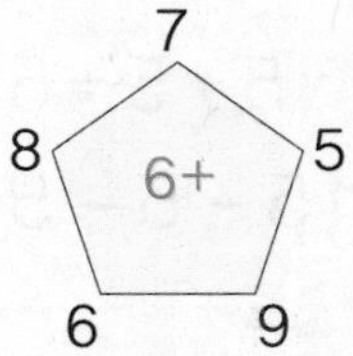


2. 移动 8 ，每次加上卡片上的数。

8 →

| | | | | | | | | | |
|---|---|---|---|---|---|---|---|---|---|
| 4 | 0 | 2 | 7 | 5 | 8 | 3 | 10 | 6 | 9 |

把 8 换成 6 、7 ，照样子加一加。

3. 上车。

4. 在○里填上“>”“<”或“=”。

8+4 ○ 13　　6+9 ○ 16　　7+6 ○ 12

7+8 ○ 15　　6+8 ○ 12　　8+9 ○ 17

5. 8+8=　　7-4=　　9+5=　　6+5=　　7+7=

3+5=　　7+9=　　10-0=　　12+3=　　7-7=

6+8=　　9+4=　　17-3=　　8+3=　　16-6=

6. 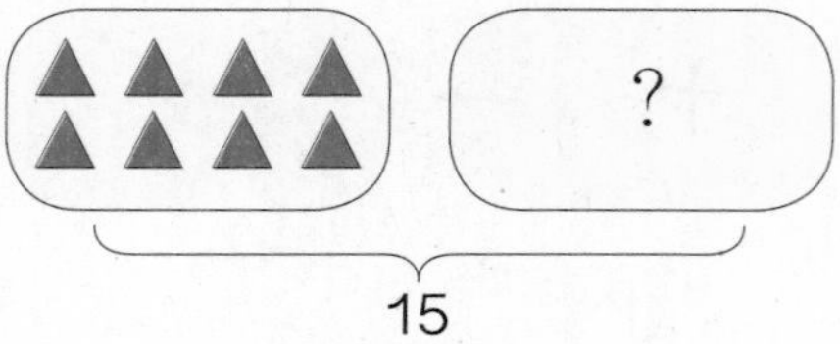


8 + □ = 15

7. 5+5+5=　　4+4+4=　　6+6+6=

15−5−5=　　9−3−3=　　8−4−4=

8. 

原来有□只猴，
又跑来□只。
一共有多少只猴？
□○□=□（只）

9. 8 + □ = 12　　7 + □ = 16　　9 + □ = 13

6 + □ = 15　　8 + □ = 11　　7 + □ = 14

10. 接着往下涂。

在○里分别填上 3、4、5、6、7，使每条线上的三个数相加都得 12。

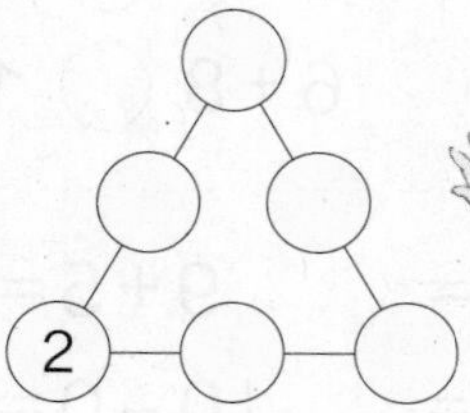

## 5、4、3、2加几

**4**

5+7=□　　5+8=□

4+8=□　　3+9=□

### 做一做

1.

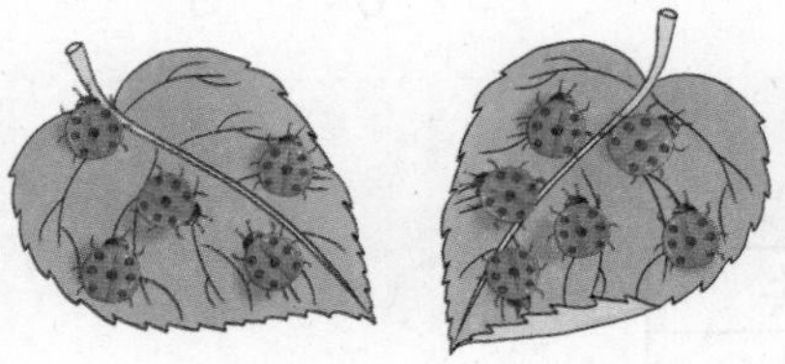

□○□=□

□○□=□

2. 9+5=　　9+4=　　8+3=　　9+2=

5+9=　　4+9=　　3+8=　　2+9=

3.

5+ 6=□, 7=□, 8=□, 9=□

4+ 7=□, 8=□, 9=□

3+ 8=□, 9=□

**数学游戏**

# 练 习 二 十 二

1. 先说得数，再写算式。

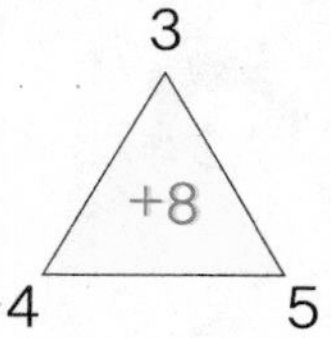


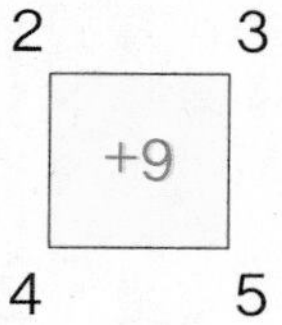


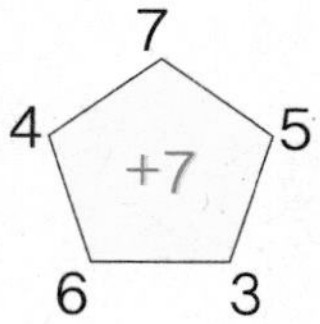


2. 算一算两种体育用品各有多少。

| | 一班 | 二班 | 一共 |
|---|---|---|---|
|  | 7 个 | 6 个 | ____个 |
| 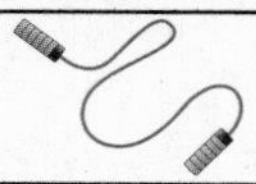 | 4 条 | 7 条 | ____条 |

3. 看谁算得都对。

5+7=　　10−7=　　4+8=　　4+9=

13−3=　　5+9=　　10−9=　　3+9=

4.

一共有多少串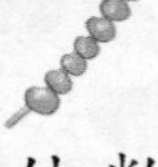？　　□○□=□（串）

你还能提出其他数学问题并解答吗？

5. 5+□=13　　4+□=13　　3+□=12

5+□=11　　4+□=12　　2+□=11

一共有多少人？

知道了什么？

后排有 8 人，前排有□人。

男生有□人，女生有□人。

要解答的问题是……

怎样解答？

用加法算。

我也用加法算……

$8+7=□$（人）　　$9+6=□$（人）

解答正确吗？

他们的解答有什么不同？

一共有□人。

做一做

一共有多少只天鹅？　　□○□=□（只）

还剩下 5 个。

我们领走了 7 个 🎽。

原来有多少个 🎽 ？

知道了什么？

老师领 🎽，领走 □ 个，还剩 □ 个。

要求"原来有多少个 🎽"。

怎样解答？

可以画图表示，这表示剩下的……

哦！用加法计算。

7+5= □（个）

解答正确吗？

原来有 □ 个 🎽。

吃了 8 个鸡蛋，还剩……

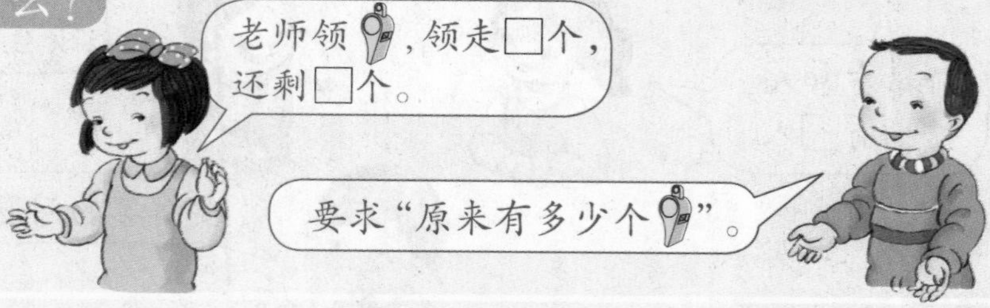

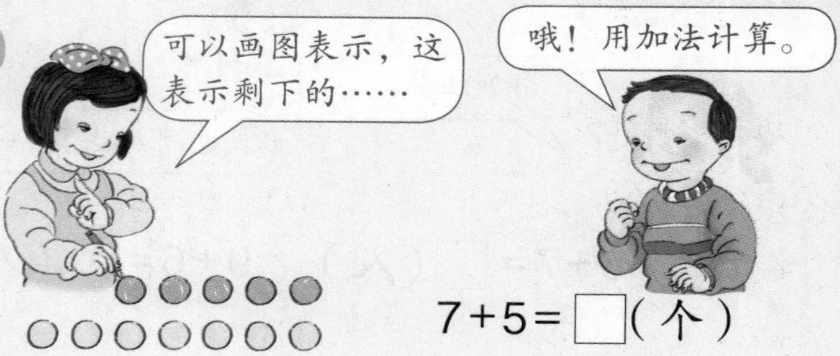

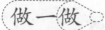

原来有多少个鸡蛋？

□ ○ □ = □（个）

# 练习二十三

1. 

一共有多少人？

□○□=□(人)

还能怎样解答？

2. 看谁算得都对。

8+5=　　4+9=　　10-4=　　3+8=

5+7=　　6+8=　　10+5=　　9-6=

7+4=　　9+3=　　13+2=　　2+8=

3. 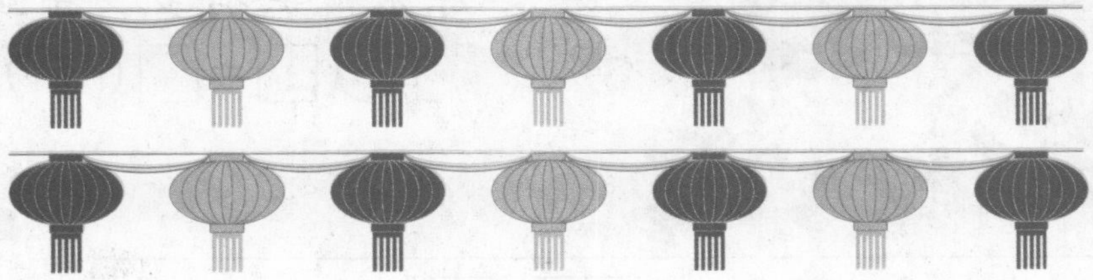

一共有多少个灯笼？　□○□=□(个)

4. 在○里填上“>”“<”或“=”。

4+8○13　　3+9○14　　7+6○12

5+7○11　　6+5○12　　3+8○11

**5.**

已经进去了 7 个同学。

一共有多少个同学？

□○□＝□（个）

**6.**

我剪了 8 个窗花。

我剪的和你同样多。

一共剪了多少个窗花？

□○□＝□（个）

**7.**

$3+8+5=$   $6+7-3=$   $5+8-2=$

$9-5+9=$   $3+2+7=$   $18-8-6=$

**8.**

游走 6 条。

还有 8 条。

原来一共有多少条鱼？

□○□＝□（条）

我前面有 9 人，后面有 5 人。

一共有多少人？

# 整理和复习

1. 在卡片上写出 20 以内所有的进位加法算式并进行整理，说一说自己是怎样整理的。

| 9+2 | 8+3 | 7+4 | 6+5 | 5+6 | 4+7 | 3+8 | 2+9 |
|-----|-----|-----|-----|-----|-----|-----|-----|
| 9+3 | 8+4 | 7+5 | 6+6 |     |     |     |     |
| 9+4 | 8+5 | 7+6 |     |     |     |     |     |
| 9+5 | 8+6 | 7+7 |     |     |     |     |     |
| 9+6 | 8+7 | 7+8 |     |     |     |     |     |
| 9+7 | 8+8 |     |     |     |     |     |     |
| 9+8 | 8+9 |     |     |     |     |     |     |
| 9+9 |     |     |     |     |     |     |     |

晶晶

（1）说一说晶晶是怎样整理的，再把余下的算式填出来。

竖着看，每个算式……

我还发现……

（2）任意指一道算式很快说出得数。

（3）计算第一列算式，你发现了什么？

2.

我们一共吃了6个。

还剩7个。

原来有多少个 ？

想：知道了哪些信息，要解决什么问题，用什么方法解答。

□ ○ □ ＝ □（个）

解答正确吗？

# 练习二十四

1. 把和是 11、12、13……的加法算式一组一组地说出来。

2. 比一比。

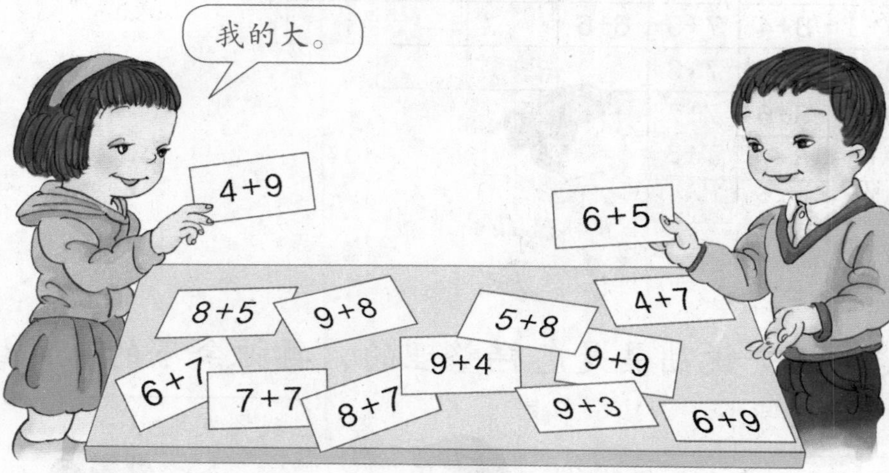


3.

$5+8=\begin{cases}\boxed{6}+\boxed{7}\\ \square+\square\\ \square+\square\end{cases}$　　$7+4=\begin{cases}\boxed{8}+\boxed{3}\\ \square+\square\\ \square+\square\end{cases}$

4. 看谁算得都对。

| | | | |
|---|---|---|---|
| 8+6= | 3+9= | 6+7= | 5+8= |
| 2+9= | 4+7= | 9+4= | 3+7= |
| 7+5= | 10+4= | 8−3= | 9+8= |
| 13−2= | 4+8= | 0+6= | 10−5= |

5.

| | | |
|---|---|---|
| 3+6+4= | 8+5+2= | 6+7−2= |
| 19−3−5= | 9−6+8= | 14−4+6= |
| 17−7+3= | 7+3−8= | 15−2−3= |

6.

我用了7块，你用了9块。

我们用了8块黄色的，8块红色的。

一共用了多少块积木？　　□ ○ □ = □（块）

7.

6+7=　　10-4=

9-2=　　8+9=

9+9=　　8-2=

7-5=　　5+8=

8.

我吃了8个水饺。

还剩5个。

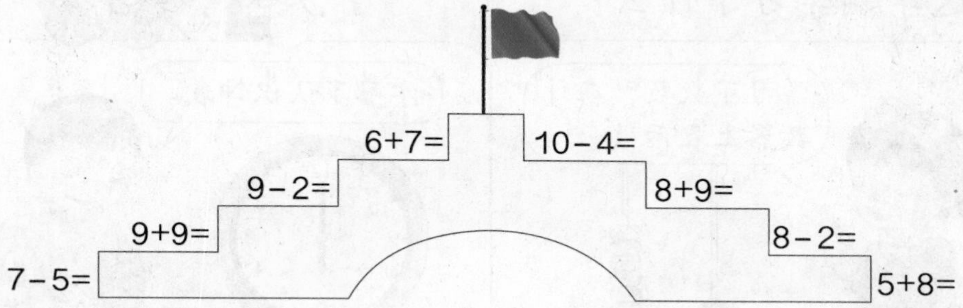

原来一共有多少个水饺？　　□ ○ □ = □（个）

9. 7 + □ = 16　　9 + □ = 12　　□ + 3 = 11

5 + □ = 13　　8 + □ = 15　　□ + 4 = 14

本单元结束了，你想说些什么？

用凑十的方法算9加几挺方便的。

成长小档案

★★★★
★★★★

有时解决问题可以从不同的角度寻找信息。

Happy

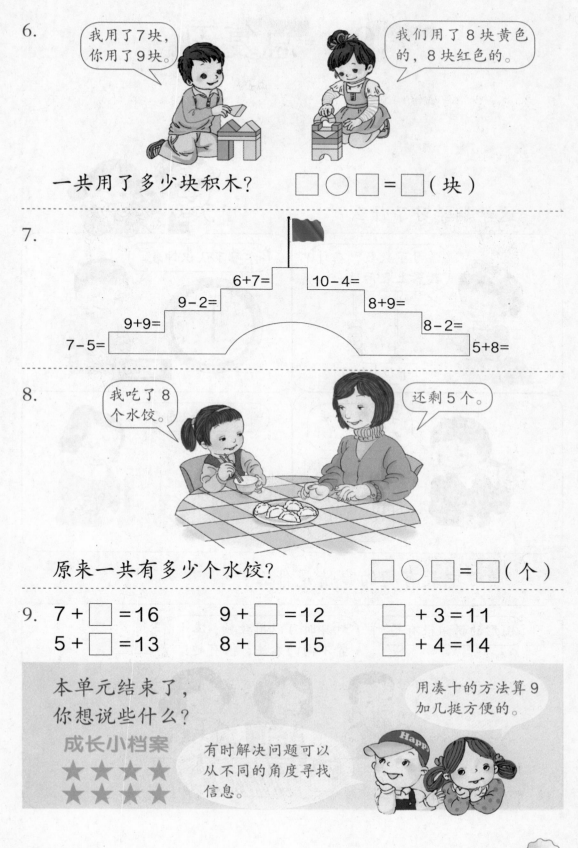

# 9 总复习

成长小档案

这学期学习了什么?

学习了数数,在计数器上表示数……

十位 个位

学习了认识钟表。

6:00

学习了加法和减法……

$9+3=12$

$8+7=15$

$10-4=6$

学习了认识图形。

学习中最有趣的事情是什么?

图形的拼组很有趣。

计算时可以用数数、凑十等不同的方法,很有趣!

……

1. 仔细观察下表，完成表后的问题。

入口

| | | | | | | | | | | |
|---|---|---|---|---|---|---|---|---|---|---|
| 第 1 行 | 1 | 2 | ③ | 4 | 5 | 6 | 7 | 8 | 9 | 10 |
| | | 3 | | 5 | | 7 | | 9 | | 11 |
| | | 4 | | ⑥ | | 8 | | 10 | | 12 |
| | 4 | | 6 | 7 | 8 | | 10 | | 12 | |
| 第 5 行 | | 6 | | 8 | | 10 | | 12 | | 14 |
| | 6 | | | 9 | | | | | 14 | 15 |
| | | | ⑨ | 10 | 11 | 12 | | 14 | 15 | |
| | | 9 | | 11 | | | | 15 | | 17 |
| | 9 | | 11 | 12 | | | 15 | | 17 | 18 |
| 第 10 行 | 10 | | 12 | | 14 | | 16 | | | |

出口

（1）14 前面一个数是（ ），14 后面一个数是（ ）。

（2）第 9 行，从左数第 7 个数是（ ），它是由（ ）个十和（ ）个一组成的。

（3）填写空格中的数，并按 1~19 的顺序从入口走到出口。

（4）将表中的 11 涂上红色，你发现了什么？把 11 在计数器上画出来。

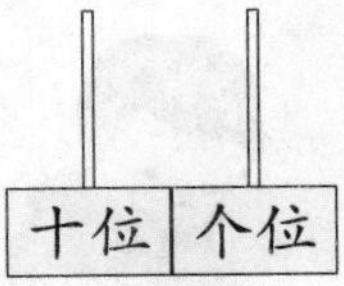


这两个“1”表示的意思一样吗？

（5）说一说表中的数是怎样排列的。

（6）将上表○中的数填在□中，并写出钟表上的时间。

分针指向 12，时针指向几就是几时。

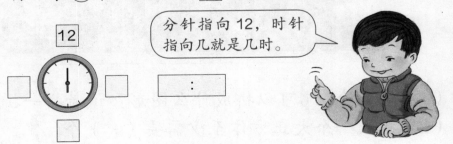

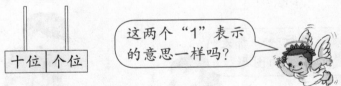

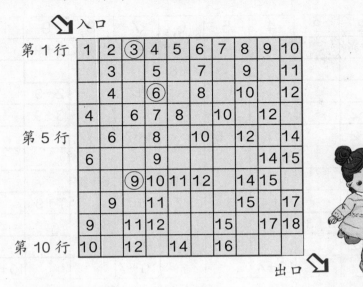

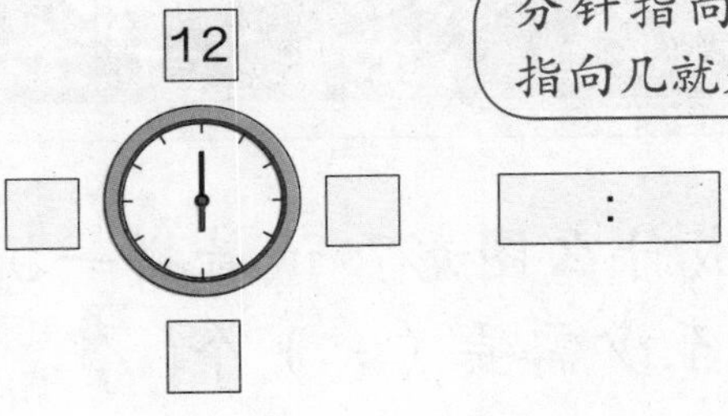

2. 仔细观察，在空格里填上合适的算式。

| + | 0 | 1 | 2 | 3 | 4 | 5 | 6 | 7 | 8 | 9 | 10 |
|---|---|---|---|---|---|---|---|---|---|---|----|
| 0 | 0+0 | 0+1 | | | | | | | | 0+9 | |
| 1 | | | | | | | 1+6 | | | | |
| 2 | | | | | | | | 2+7 | | 2+9 | |
| 3 | | | 3+2 | | | | | | | 3+9 | |
| 4 | 4+0 | | 4+2 | | | 4+5 | | 4+7 | | | |
| 5 | | | | | 5+4 | | | | | | |
| 6 | | 6+1 | | | | | 6+6 | | 6+8 | | |
| 7 | | | 7+2 | | 7+4 | | | 7+7 | | 7+9 | |
| 8 | | | | 8+3 | | | | | 8+8 | | |
| 9 | | | 9+2 | | | 9+5 | | | | | |
| 10 | 10+0 | | | | 10+4 | | | 10+7 | | | 10+10 |

（1）任意指一道算式很快说出得数。

（2）你从表中发现了哪些有趣的排列？

（3）将得数是 10 的算式涂上红色，你发现了什么？

和同学一起整理学过的减法算式，并说一说算式是怎样排列的。

3.

球、圆柱……都是我们学过的图形。

（1）用 4 个 ▢ 可以拼成什么图形？试着拼一拼。

（2）拼成一个大正方体至少需要（    ）个 ▢。

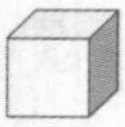

# 练 习 二 十 五

1. 看图写数。

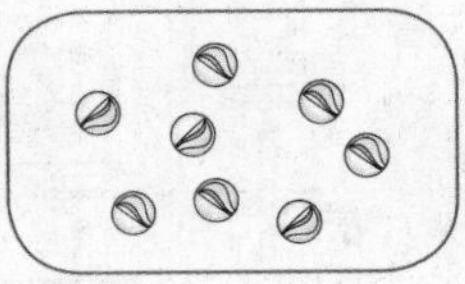
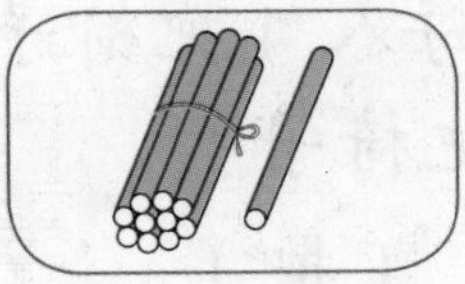
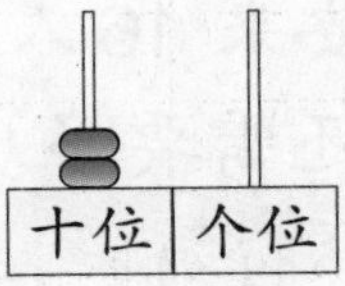


(　　)　　(　　)　　(　　)　　(　　)

2. （1）1 个十和 2 个一合起来是（　　）。
   （2）15 里面有（　　）个十和（　　）个一。
   （3）20 里面有（　　）个十。

3.

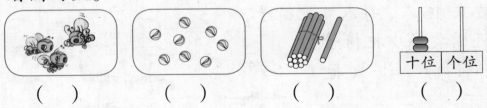

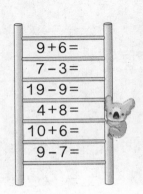

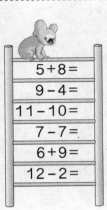

妈妈睡觉的时间是＿＿＿。

4. 在○里填上“>”“<”或“=”。

| | | |
|---|---|---|
| 5+9 ○ 14 | 9 ○ 18−10 | 7+8 ○ 16 |
| 10−8 ○ 7 | 12 ○ 3+8 | 9+6 ○ 15 |

5. 看谁算得都对。

| | | |
|---|---|---|
| 8+7= | 9+6= | 5+8= |
| 8−6= | 7−3= | 9−4= |
| 6+10= | 19−9= | 11−10= |
| 9+4= | 4+8= | 7−7= |
| 7+5= | 10+6= | 6+9= |
| 2+8= | 9−7= | 12−2= |

$$12 \xrightarrow{+4} \boxed{\phantom{0}} \xrightarrow{-6} \boxed{\phantom{0}} \xrightarrow{+9} \boxed{\phantom{0}} \xrightarrow{-6} \boxed{\phantom{0}} \xrightarrow{+5} \boxed{\phantom{0}}$$

$$15 \xrightarrow{-5} \boxed{\phantom{0}} \xrightarrow{+6} \boxed{\phantom{0}} \xrightarrow{-10} \boxed{\phantom{0}} \xrightarrow{+8} \boxed{\phantom{0}} \xrightarrow{-3} \boxed{\phantom{0}}$$

7. 要来16人，每人1把椅子，
还需要多少把椅子？

$\boxed{\phantom{0}} \bigcirc \boxed{\phantom{0}} = \boxed{\phantom{0}}$（把）

8. 我们吃了9条鱼。 还剩5条。

原来有多少条鱼？

$\boxed{\phantom{0}} \bigcirc \boxed{\phantom{0}} = \boxed{\phantom{0}}$（条）

9.
$10 + 5 = \boxed{\phantom{0}}$     $7 + \boxed{\phantom{0}} = 16$     $\boxed{\phantom{0}} + \boxed{\phantom{0}} = 13$

$15 - \boxed{\phantom{0}} = 10$     $16 - \boxed{\phantom{0}} = 7$     $13 - \boxed{\phantom{0}} = \boxed{\phantom{0}}$

$15 - \boxed{\phantom{0}} = 5$     $16 - \boxed{\phantom{0}} = 9$     $13 - \boxed{\phantom{0}} = \boxed{\phantom{0}}$

10.

你能提出两个数学问题并解答吗？

$\boxed{\phantom{0}} \bigcirc \boxed{\phantom{0}} = \boxed{\phantom{0}}$（只）     $\boxed{\phantom{0}} \bigcirc \boxed{\phantom{0}} = \boxed{\phantom{0}}$（只）

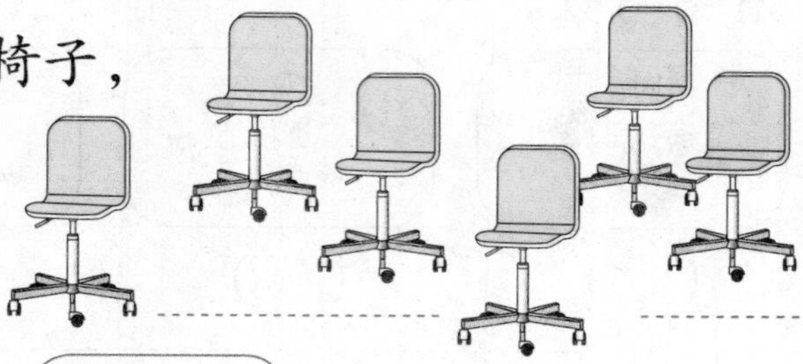

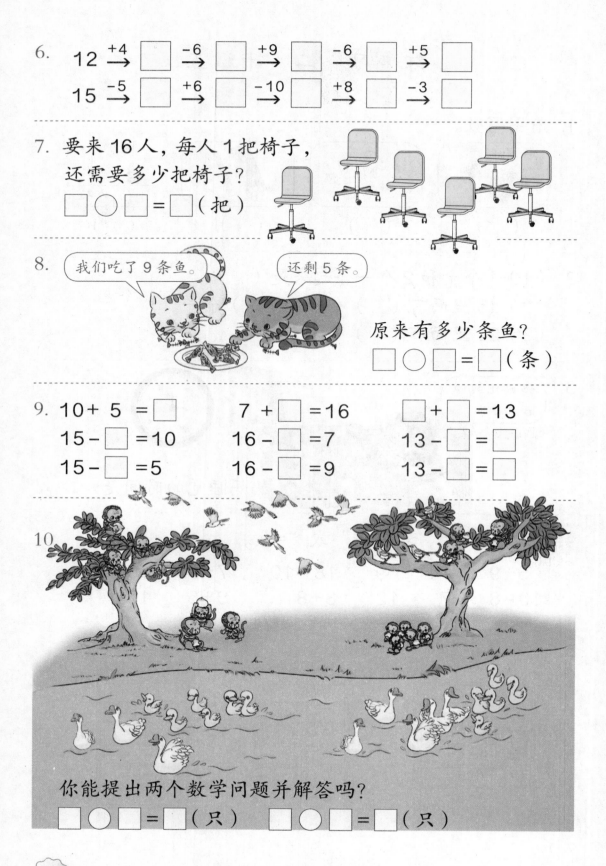

**11.**

我从下面的小印章中买了2盒。

小印章　　　小印章　　　小印章

她可能买了多少个小印章?　　　□ ○ □ = □ （个）

---

**12.**

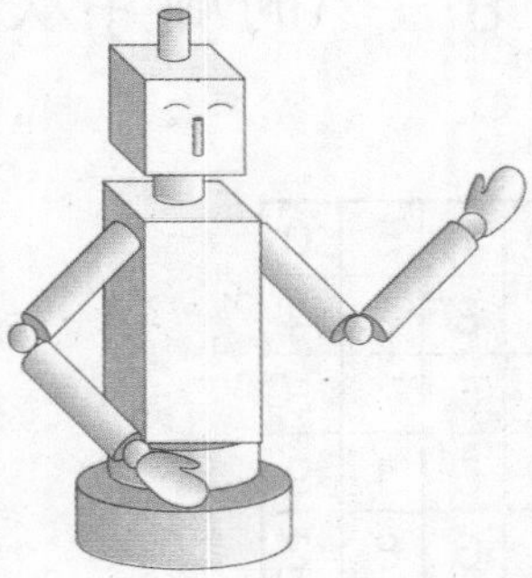

长方体 （　）个
正方体 （　）个
球 （　）个
圆柱 （　）个

---

**13.** 哪两堆积木可以拼成  ？用线连起来。

---

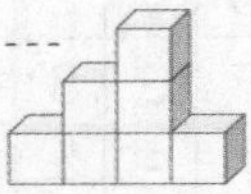

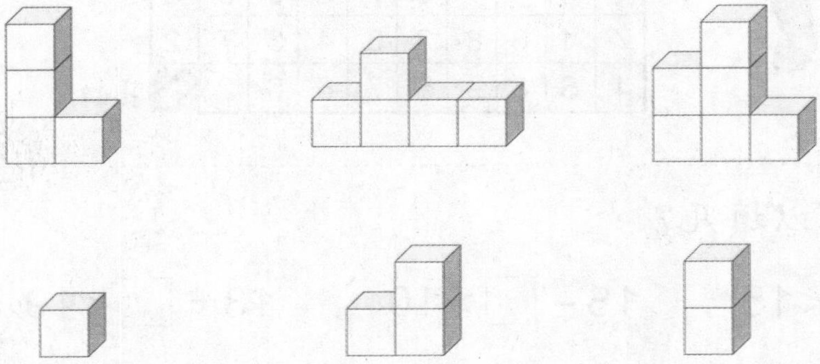

**14.** 要拼成一个大正方体，下面的图形至少还需要几个 □ ？

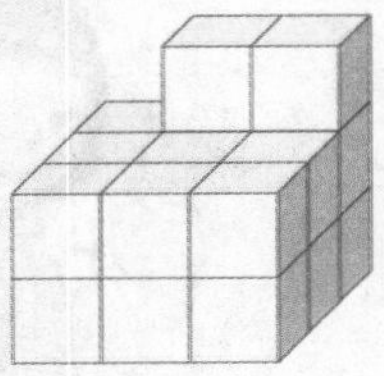

还需要（　）个　　　　还需要（　）个

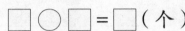

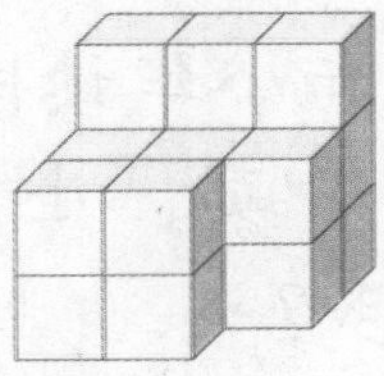

15. 右图●里的数和它周围○里的数有关系。想一想，?里应填什么数？

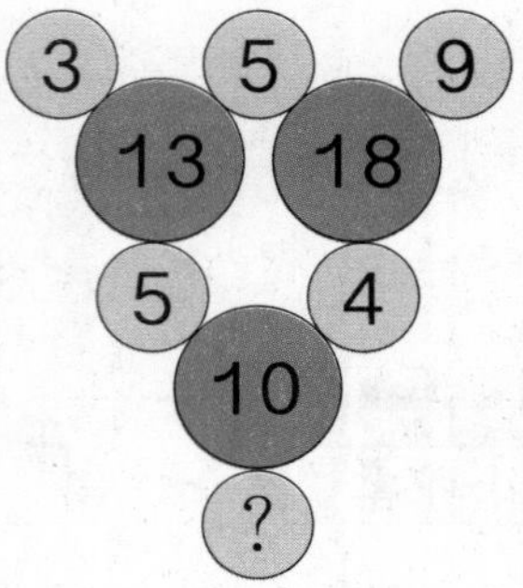


---

16. 你能按 2、4、6、8、2、4、6、8……的顺序从入口走到出口吗？

入口

| | | | | | | | | | |
|---|---|---|---|---|---|---|---|---|---|
| ↘ | 2 | 4 | 6 | 5 | 8 | 1 | 7 | 5 | 0 |
| 2 | 3 | 2 | 8 | 2 | 6 | 0 | 8 | 2 | 4 |
| 4 | 8 | 4 | 3 | 4 | 6 | 8 | 5 | 7 | 3 |
| 8 | 6 | 6 | 8 | 2 | 3 | 7 | 5 | 1 | 9 |
| 4 | 2 | 8 | 3 | 4 | 2 | 4 | 6 | 8 | 2 |
| 6 | 2 | 4 | 5 | 6 | 8 | 2 | 4 | 2 | 7 |
| 5 | 1 | 3 | 7 | 3 | 4 | 5 | 0 | 4 | 1 |
| 4 | 6 | 5 | 4 | 5 | 7 | 2 | 8 | 6 | 3 |
| 7 | 1 | 6 | 8 | 2 | 6 | 4 | 3 | 7 | 2 |
| 4 | 5 | 6 | 9 | 5 | 7 | 6 | 8 | 2 | ↘ |

出口

---

17.* □里可以填几？

9＋□＜15　　　18－□＞10　　　13＋□＜19

小明和小华读同一本故事书，小明读了 8 页，小华读了 9 页，谁剩下的多？

## 自我评价

同学们，这学期要结束了，给自己的表现画上小红花吧！

| 学习表现 |  |  |  |
|---|---|---|---|
| 喜欢学习数学 | | | |
| 愿意参加数学活动 | | | |
| 上课专心听讲 | | | |
| 积极思考老师提出的问题 | | | |
| 主动举手发言 | | | |
| 喜欢发现数学问题 | | | |
| 愿意和同学讨论学习中的问题 | | | |
| 敢于把自己的想法讲给同学听 | | | |
| 认真完成作业 | | | |

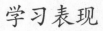

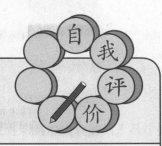

# 后 记

本册教科书是人民教育出版社课程教材研究所小学数学课程教材研究开发中心依据教育部《义务教育数学课程标准》（2011年版）编写的，经国家基础教育课程教材专家工作委员会2012年审查通过。

本册教科书集中反映了基础教育教科书研究与实验的成果，凝聚了参与课改实验的教育专家、学科专家、教研人员以及一线教师的集体智慧。我们感谢所有对教科书的编写、出版提供过帮助与支持的同仁和社会各界朋友，以及整体设计艺术指导吕敬人等。

本册教科书出版之前，我们通过多种渠道与教科书选用作品（包括照片、画作）的作者进行了联系，得到了他们的大力支持。对此，我们表示衷心的感谢！但仍有部分作者未能取得联系，恳请入选作品的作者与我们联系，以便支付稿酬。

我们真诚地希望广大教师、学生及家长在使用本册教科书的过程中提出宝贵意见，并将这些意见和建议及时反馈给我们。让我们携起手来，共同完成义务教育教材建设工作！

人民教育出版社 课程教材研究所
小学数学课程教材研究开发中心
2012年5月